Л. В. МИЛЛЕР, Л. В. ПОЛИТОВА

ЖИЛИ-БЫЛИ...

12 УРОКОВ РУССКОГО ЯЗЫКА. БАЗОВЫЙ УРОВЕНЬ

Учебник

5-е издание

Санкт-Петербург
«Златоуст»

2011

УДК 811.161.1

Миллер, Л.В., Политова, Л.В.
   Жили-были... 12 уроков русского языка. Базовый уровень : учебник. —
5-е изд. — СПб. : Златоуст, 2011. — 200 с.

Miller, L.V., Politova, L.V.
   Zhyli-byli (Once upon a time...). 12 Russian lessons. Basic level : a text-book. —
5th ed. — St. Petersburg : Zlatoust, 2011. — 200 p.

Главный редактор *к.ф.н. А. В. Голубева*

Корректор *Н. Мирзоева*

Художники *Ю. М. Шляхов, Р. И. Шустров*

Оригинал-макет *Л. О. Пащук*

Р е ц е н з е н т :
к.ф.н. Л. В. Степанова

При оформлении использованы интернет-сайты:
http://www.photostudio.ru; www.golddy.narod.ru; www.serzh.ru; www.tbeplace.ru;
www.vanessamae.com; www.people.ru; www.kinomania.ru; www.india-tour.ru

   Пособие продолжает интенсивный коммуникативный курс русского языка для
взрослых. Оно рассчитано на 100–120 учебных часов. Рекомендуется для работы с
преподавателем на курсах в России и за рубежом, для преподавателей отделений
российских вузов (группы позднего заезда), для кружков при культурных центрах и
народных университетов.
   Имеется аудиоприложение.

ISBN 978-5-86547-513-2

Подготовка оригинал-макета: издательство «Златоуст».
Подписано в печать 05.09.11. Формат 60x90/8. Печ. л. 25. Печать офсетная. Тираж 5000 экз. Заказ № 1498.
Код продукции: ОК 005-93-953005.

Лицензия на издательскую деятельность ЛР № 062426 от 23 апреля 1998 г.
Санитарно-эпидемиологическое заключение на продукцию издательства Государственной СЭС РФ
№ 78.01.07.953.П.011312.06.10 от 30.06.2010 г.

Издательство «Златоуст»: 197101, Санкт-Петербург, Каменноостровский пр., д. 24, кв. 24.
Тел.: (+7-812) 346-06-68, факс: (+7-812) 703-11-79, e-mail: sales@zlat.spb.ru, http://www.zlat.spb.ru

Отпечатано с готовых диапозитивов в типографии ООО «Береста».
196084, Санкт-Петербург, ул. К. Томчака, д. 28, Тел.: (+7-812) 388-90-00.

Содержание

ПРЕДИСЛОВИЕ

Настоящая книга является продолжением учебного комплекса «Жили-были», предназначенного для иностранцев, изучающих русский язык. Он адресован учащимся среднего уровня владения языком, который в западной традиции принято называть intermediate level.

Вторая часть «Жили-были» представляет собой коммуникативно ориентированное учебное пособие для интенсивного овладения русским языком, рассчитанное на аудиторное освоение под руководством преподавателя как в условиях языковой среды, так и вне ее. Конечная цель заложенной в нем методической концепции – коррекция и развитие языковых и речевых навыков, совершенствование умений в области устной речи, расширение культурологической компетенции обучаемых.

В предлагаемом вашему вниманию учебнике продолжена разработка методической модели, являющейся основой учебного комплекса «Жили-были», принципиальная составляющая которой — опора на семантико-прагматические и интенционные особенности психологии обучаемых, что проявляется в отсутствии лингвистической терминологии и приближении понятийного аппарата к психологии потребителя, а также в возможности ее различной интерпретации. Последним объясняется избыточность материала внутри каждого урока, что позволяет отбирать и варьировать его в соответствии с особенностями конкретной аудитории и методическими предпочтениями конкретного преподавателя.

Интенсивная направленность обучения определила ситуативно-тематическую подачу языкового и речевого материала, в соответствии с чем обучение лексике и грамматике осуществляется на синтаксической основе и повышается удельный вес коммуникативных заданий.

Отбор грамматического материала производился в соответствии с требованиями стандарта базового уровня, при этом авторы не ставили перед собой задачи «объять необъятное»: в упражнениях и заданиях представлен только материал для активного усвоения. Весь учебник страноведчески и культурологически ориентирован.

Учебник состоит из 12 уроков, структура которых единообразна. Это оправдано тем, что наличие стабильных, повторяющихся в каждом уроке коммуникативных блоков позволяет выработать определенные алгоритмы восприятия и усвоения, включив тем самым в процесс обучения неосознаваемые психологические механизмы.

Каждый урок включает в себя:

— Комплекс вопросов по теме урока. Такой вопросник выполняет тестирующие функции, его методической целью является определение стартового уровня владения языком в рамках соответствующей темы.

— Речевые образцы. Расположенные перед текстом, они призваны обозначить активный речевой материал темы (как изученный, так и новый). Выделенные в тексте конструкции способствуют привлечению внимания к изучаемому грамматическому материалу. Эти же речевые образцы выделены в тексте.

— Учебный текст, задачей которого является демонстрация использования изучаемого языкового материала в речи. Содержание текстов продолжает и развивает макросюжет учебного комплекса «Жили-были»: обучаемые проследят дальнейшую судьбу знакомых героев. После текста имеются вопросы, позволяющие преподавателю проконтролировать его восприятие.

— Грамматические таблицы и схемы, приведенные далее, должны напомнить учащимся падежную систему русского языка, расширить их представление о функционировании глаголов движения, лучше понять такую сложную грамматическую категорию, как аспектуальность. Они могут служить также справочным материалом и зрительной опорой при выполнении языковых упражнений.

— Тренировочный материал представлен тремя блоками. Это языковые упражнения, целью которых является активизация и закрепление грамматического материала; условно-коммуникативные, цель которых — развитие речевых умений в рамках учебной задачи; творческие (эвристические) задания, предполагающие выход в реальную коммуникацию и способствующие развитию спонтанной речи на русском языке.

— Рубрика «Повторение – мать учения» выполняет функцию итогового контроля по теме и позволяет обобщить пройденный материал. В то же время итоговый контроль здесь носит и обучающий характер. С этой целью в словник к уроку включена лексика, вошедшая в тексты и задания и частотная в рамках соответствующей разговорной темы.

— Адаптированные в соответствии с уровнем владения языком тексты, завершающие каждый из уроков, имеют культурологическую направленность. Они предназначены для более продвинутого уровня и могут быть безболезненно отсечены, если коммуникативная компетенция обучаемых недостаточна. В том случае, если уровень владения языком позволяет надеяться на привлечение этой части материала, то по отношению к нему возможны разные формы работы. Он может использоваться традиционно в качестве аудиторного или домашнего аналитического чтения; возможно также его самостоятельное освоение в целях развития так называемого «естественного чтения» на русском языке; наконец, он может рассматриваться как материал, способствующий пролонгированию учебного процесса за пределы обучения: в этом случае перед учащимися ставится задача прочитать все имеющиеся тексты после окончания предлагаемого курса.

Особо следует сказать о роли диалогов, представленных в каждом уроке. Кроме традиционной цели развития навыков говорения, они преследуют еще одну: развитие чувства языка, и как следствие, формирование способности более адекватно понимать живую русскую речь. Выделенные речевые формулы не предназначены для активного усвоения, их задача чисто демонстрационная — показать наиболее частотные языковые реализации эмоционально-экспрессивных компонентов высказываний.

Не менее важную роль играют задания на основе «сюжетных» рисунков. Они занимают промежуточное положение в системе упражнений. Их цель — облегчить переход от учебной коммуникации к коммуникации реальной.

1

РАССКАЖИ МНЕ О СЕБЕ

Дороги́е друзья́!

Е́сли вы начина́ли изуча́ть ру́сский язы́к по уче́бнику «Жи́ли-бы́ли», вы, наве́рное, по́мните на́ших геро́ев. Это Ива́н Петро́вич Си́доров, кото́рый преподаёт ру́сский язы́к в университе́те, и его́ ученики́. Испа́нец Рамо́н, фи́нка Си́рпа, не́мец Кла́ус, по́лька Ире́на, алжи́рец Хуссе́йн и америка́нец Том. Сейча́с они́ живу́т в ра́зных стра́нах, но не забыва́ют своего́ преподава́теля. Они́ пи́шут ему́ пи́сьма, звоня́т по телефо́ну, поздравля́ют с пра́здниками, встреча́ются с ним, когда́ приезжа́ют в Петербу́рг. Что же они́ сейча́с де́лают, как живу́т? Сейча́с мы э́то узна́ем, а кро́ме того́, повтори́м не́которые констру́кции и познако́мимся с но́выми.

Си́рпа **познако́милась с ним** в Росси́и (познако́миться *с кем? где?*).

Как вас зову́т (как кого́ зову́т)?

Я роди́лся **в Но́вгороде** в 1975-ом (в тысяча девятьсот семьдесят пятом) году́ (*где? когда?*).

Я живу́ **в Петербу́рге** и учу́сь **в университе́те** (*где?*).

Кто он **по профе́ссии**?

Он рабо́тает **программи́стом** (*кем?*).

Она́ занима́ется **аэро́бикой** (*чем?*).

Мои́ роди́тели **на пе́нсии**.

Он **жени́лся** 2 го́да наза́д.   ⇔   Она́ неда́вно **вы́шла за́муж**.

У них **тро́е** дете́й.   ⇔   У них **есть** де́ти.

У него́ **ма́ленький** ребёнок.   ⇔   У него́ **есть** ребёнок.

Слушайте. Читайте.

Си́рпа сейча́с **живёт во Фра́нции,** **в Марсе́ле.** Она́ **вы́шла за́муж за** **своего́ францу́зского дру́га Мише́ля.** Он **рабо́тает программи́стом,** а Си́рпа не рабо́тает, потому́ что неда́вно у них **роди́лась дочь.**

Худо́жник Рамо́н **живёт в** **Барсело́не. У него́ больша́я мастерска́я.** Рамо́н мно́го рабо́тает, организу́ет вы́ставки, продолжа́ет изуча́ть ру́сский язы́к. Его́ но́вая ру́сская подру́га, коне́чно, помога́ет ему́.

Вы по́мните журнали́ста Кла́уса? Он ча́сто е́здит в командиро́вки и пи́шет интере́сные статьи́ о поли́тике и эконо́мике. **В про́шлом году́** он купи́л дом в при́городе Берли́на.

А вот и Том. Он **зака́нчивает университе́т** в При́нстоне и ско́ро **ста́нет юри́стом.** Пока́ он живёт в общежи́тии и **подраба́тывает** в юриди́ческой фи́рме. К сожале́нию, у него́ совсе́м нет вре́мени **занима́ться ру́сским языко́м.**

На́ша Ире́на **ста́ла настоя́щей делово́й же́нщиной. Два го́да наза́д** она́ откры́ла туристи́ческую фи́рму в Швейца́рии и рабо́тает день и ночь. **Дру́га Ире́ны зову́т Фе́ликс, ему́ 32 го́да. Фе́ликс по профе́ссии тре́нер.** Ире́на **познако́милась с ним** в А́встрии.

Хуссе́йн жени́лся. У него́ **хоро́шая дру́жная семья́:** молода́я симпати́чная жена́, **кото́рую зову́т** Мириа́м, и **дво́е дете́й.** С ни́ми живёт его́ ма́ма. Она́ уже́ **на пе́нсии.** Хуссе́йн — уважа́емый в своём го́роде врач. **У него́ больша́я ча́стная пра́ктика.**

Ответьте на вопросы:

1. Где сейча́с живу́т на́ши геро́и?
2. У кого́ есть семья́?
3. Кто и где рабо́тает?

Кто? Что?		*Где? О ком? О чём?*
инжене́р		об инжене́р*е*
университе́т		в университе́т*е*, об университе́т*е*
санато́р**ий**		в санато́ри*и*, о санато́ри*и*
мо́ре		на мо́р*е*, о мо́р*е*
зда́н**ие**		в зда́ни*и*, о зда́ни*и*
Мари́**на**		о Мари́н*е*
аудито́р**ия**		в аудито́ри*и*, об аудито́ри*и*
тетра́д**ь**		в тетра́д*и*, о тетра́д*и*

Это вы помните! (Жили-были, с. 102)

Я — **обо** мне́,

ты — **о** тебе́ и т.д.

Где?

здесь — там

Это вы помните! (Жили-были, с. 67)

В лес**у́**, в сад**у́**, в шкаф**у́**, на мост**у́**, в/на угл**у́**, в аэропорт**у́**,

Но!

О ле́с**е**, о са́д**е**, о шка́ф**е**, о мост**е́**, об угл**е́**, об аэропо́рт**е**

Упражнение 1. Раскройте скобки.

1. Моя́ ба́бушка живёт (дере́вня). 2. Его́ оте́ц рабо́тает (заво́д). 3. На́ши роди́тели отдыха́ют (юг). 4. Бальза́к жил (Фра́нция). 5. Пу́шкин роди́лся (Москва́). 6. Мой брат у́чится (университе́т). 7. Я ча́сто ду́маю (мать). 8. Эрмита́ж нахо́дится (Петербу́рг). 9. Де́ти смотре́ли фильм (Га́рри По́ттер). 10. Он купи́л слова́рь (Дом кни́ги). 11. В (сад) о́чень краси́вые цветы́.

Какой? Какое? Какая?	*В/на/о каком, какой?*
ста́р**ый** парк	в/о ста́р**ом** па́рке
хоро́ш**ий** (мой, ваш) уче́бник	в/о хоро́ш**ем** (мо**ём**, ва́ш**ем**) уче́бнике
Балти́йск**ое** мо́ре	на/о Балти́йск**ом** мо́ре
Дворцо́в**ая** пло́щадь	на/о Дворцо́в**ой** пло́щади
сего́дняшн**яя** (мо́я, ва́ша) газе́та	в/о сего́дняшн**ей** (мо**е́й**, ва́ш**ей**) газе́те

Упражнение 2. Ответьте на вопросы, используя слова, данные справа.

1. Где живёт ва́ша сестра́?

ма́ленький краси́вый го́род
ста́рый дом
но́вая кварти́ра
Моско́вский проспе́кт
Садо́вая у́лица

2. Где вы рабо́таете?

Петербу́ргский университе́т
музыка́льная шко́ла
городска́я больни́ца
юриди́ческая фи́рма
де́тский сад

3. Где у́чится ваш друг?

истори́ческий факульте́т
тре́тий курс
бале́тная шко́ла
Моско́вская консервато́рия
театра́льная сту́дия

4. Где вы обы́чно отдыха́ете?

большо́й ста́рый парк
лесно́е о́зеро
на́ша да́ча
Ю́жная А́фрика
Чёрное мо́ре

5. Где вы бы́ли вчера́?

о́перный теа́тр
но́вая вы́ставка
симфони́ческий конце́рт
футбо́льный матч
студе́нческое кафе́

Упражнение 3. Раскройте скобки.

1. Я пишу́ в (э́та но́вая краси́вая тетра́дь). 2. Ната́ша писа́ла дикта́нт. В (её дикта́нт) мно́го оши́бок. 3. Они́ рабо́тают в (ваш но́вый институ́т). 4. Го́сти сиде́ли в (моя́ ма́ленькая ко́мната). 5. Андре́й отдыха́л на (на́ша да́ча). 6. Мой оте́ц — дире́ктор фи́рмы. Я был в (его́ фи́рма). 7. Мой брат у́чится в шко́ле. В (их шко́ла) больша́я библиоте́ка. 8. Светла́на учи́лась в (наш класс).

Кто? Что?	Кем? Чем? С кем? С чем?
инжене́р	(с) инжене́р*ом*
преподава́тель	(с) преподава́тел*ем*
са́хар	(с) са́хар*ом*
письмо́	(с) письм*о́м*
упражне́ние	(с) упражне́ни*ем*
Ире́на	(с) Ире́н*ой*
Росси́я	(с) Росси́*ей*
журнали́сты	(с) журнали́ст*ами*
друзья́	(с) друзь*я́ми*

Это вы помните! (Жили-были, с. 118)
Я — со мной,
ты — с тобо́й и т.д.

Упражнение 4. Раскройте скобки.

1. Мой оте́ц рабо́тал (инжене́р), а тепе́рь он стал (пенсионе́р). 2. Мой брат был (студе́нт), а тепе́рь он стал (экономи́ст). 3. Ра́ньше он рабо́тал (учи́тель), а тепе́рь стал (дире́ктор шко́лы). 4. Моя́ подру́га была́ (актри́са), а тепе́рь рабо́тает (преподава́тельница). 5. Его́ сестра́ была́ (студе́нтка Акаде́мии бале́та), а тепе́рь ста́ла (соли́стка Марии́нского теа́тра).

Какой? Какое? Какая? Какие?	(С) каким? (С) какой? (С) какими?
иностра́нный студе́нт	(с) иностра́нным студе́нтом
ма́ленький (мой, ваш) ребёнок	(с) ма́леньким (мои́м, ва́шим) ребёнком
кра́сное вино́	(с) кра́сным вино́м
изве́стная актри́са	(с) изве́стной актри́сой
сре́дняя (моя́, ва́ша) сестра́	(с) сре́дней (мое́й, ва́шей) сестро́й
но́вые ру́сские (мои́, ва́ши) друзья́	(с) но́выми ру́сскими (мои́ми, ва́шими) друзья́ми

Упражнение 5. Ответьте на вопросы, используя слова, данные справа.

1. В Петербу́рге я познако́мился с

молодо́й учёный,
краси́вая де́вушка,
тала́нтливые худо́жники,
изве́стный арти́ст,
интере́сные лю́ди.

2. Вчера́ я был в теа́тре с

ста́ршая сестра́,
знако́мая де́вушка,
америка́нский студе́нт,
ста́рый друг,
ру́сские преподава́тели.

3. Мы разгова́ривали с

росси́йский поли́тик,
де́тский писа́тель,
популя́рная актри́са,
литерату́рный кри́тик,
иностра́нные тури́сты.

Упражнение 6. Раскройте скобки.

1. Я учи́лся с (твоя́ ста́ршая сестра́).
2. Он познако́мился с (ва́ши роди́тели).
3. Она́ ходи́ла в кино́ со (свой мла́дший брат).
4. Мы встреча́лись с (на́ши шко́льные учителя́).
5. Ба́бушка разгова́ривала со (свои́ ста́рые подру́ги).
6. Са́ша отдыха́л с (моя́ двою́родная сестра́).
7. Гали́на занима́лась с (ва́ши тала́нтливые студе́нты).
8. У Ве́ры есть брат. Я рабо́таю с (её брат).

Готовимся к разговору

Как зовут вашу маму?

Задание 1. Переспросите, как их зовут, и дайте ответ.

Модель: У Сергея есть сестра Катя. — Как зовут его сестру?
— Его сестру зовут Катя.

1. Это наш преподаватель Иван Петрович.
2. Дети моей сестры Ольги Дима и Маша учатся в школе.
3. У Нины есть кошка Мурка.
4. Родители Лены Анна Ивановна и Пётр Николаевич живут в Москве.
5. Это моя новая соседка Лариса.

Задание 2. Скажите, как зовут вас и ваших родителей.

— В каком году вы родились?
— Я родился в тысяча девятьсот семьдесят втором году.

> **Это вы помните!** (Жили-были, с. 98)
> 1 год
> 2, 3, 4 года
> 5, ... лет

Задание 3. Выполните задание по модели:

Модель: Иван Петрович родился в 1951 году.
— Сколько ему сейчас лет? — Ему 53 года.
Елене Юрьевне 38 лет.
— В каком году она родилась? — Она родилась в 1962 году.

Светлана Андреевна родилась в 1969 году. — ....

Юре 4 года. — ....

Маше 16 лет. — ....

Николай Иванович родился в 1933 году. — ....

Виктору 31 год. — ....

Наташе 45 лет. — ....

Александр Васильевич родился в 1952 году. — ....

Задание 4. Скажите, в каком году вы родились и сколько вам лет. А сколько лет вашим родителям?

Он жени́лся на ней. — Она́ вы́шла за него́ за́муж.

Задание 5. Выполните задание по модели.

Модель: Ле́на + Са́ша

Ле́на познако́милась с Са́шей и вы́шла за него́ за́муж.

Са́ша познако́мился с Ле́ной и жени́лся на ней.

1. Стас + А́ня. 2. О́ля + Ди́ма. 3. Во́ва + Ле́на. 4. Лю́да + Ви́ктор. 5. Ю́ра + Ка́тя. 6. Фёдор + Ната́ша. 7. Тама́ра + Алёша.

У нас оди́н ребёнок.
У нас дво́е (тро́е, че́тверо, пя́теро, ше́стеро) дете́й.

Задание 6. Посмотрите на рисунки и скажите, сколько у них детей.

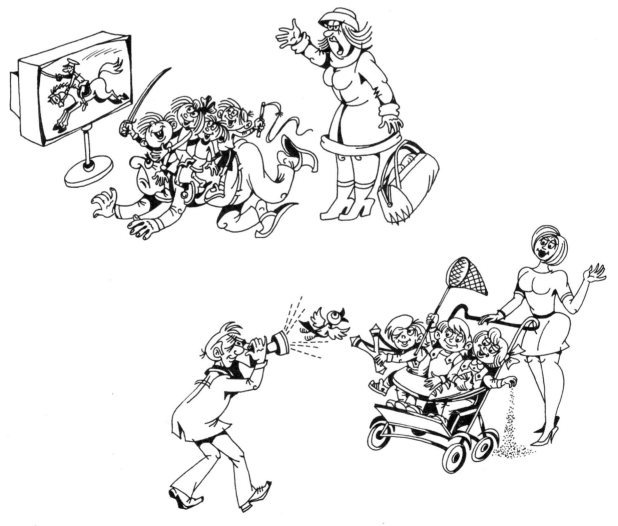

Задание 7. Объясните, как вы понимаете следующие выражения: *ста́рый друг лу́чше но́вых двух; ша́почное знако́мство; не име́й сто рубле́й, а име́й сто друзе́й.* **Придумайте ситуации, в которых их можно употребить.**

У него́ есть маши́на. — У него́ но́вая маши́на.
У неё есть брат. — У неё два бра́та.

Задание 8. Ответьте на вопросы:

1. У вас есть семья́? У вас больша́я семья́?

2. У вас есть бра́тья? Ско́лько у вас бра́тьев?

3. У вас есть компью́тер? У вас но́вый компью́тер?

4. У вас есть сёстры? Ско́лько у вас сестёр?

5. В ва́шем го́роде есть музе́и? Ско́лько музе́ев в ва́шем го́роде?

6. У ва́ших роди́телей есть дом? У них большо́й дом?

7. В ва́шем университе́те есть медици́нский факульте́т? Ско́лько факульте́тов в ва́шем университе́те?

Задание 9. Прочитайте диалоги про себя, обратите внимание на выделенные слова и словосочетания, типичные для русской разговорной речи. Послушайте их в записи. Прочитайте диалоги вслух. Расскажите об участниках диалогов.

Диалог 1

Рамон: Клаус, привет. **Ну, как ты отдохнул?** Рад снова видеть тебя в Петербурге! Как дела дома? Как родители?

Клаус: Спасибо, я отдохнул прекрасно. Родители здоровы. Отец уже на пенсии, а мама ещё работает.

Р.: А как твой брат? Помнишь, как мы неожиданно встретились с ним в Петербурге?

К.: Ты знаешь, он женился, и у него родился сын.

Р.: **Что ты говоришь!** А сколько ему лет? Он же ещё очень молодой!

К.: Вот и моя мама так думает. Ему 25 лет, а его жене Кароле 22 года. Они оба ещё учатся.

Р.: Да, это непросто. С ребёнком всегда много проблем.

К.: **Ну, ничего.** Сейчас они живут с родителями Каролы. Георг подрабатывает. Моя мама тоже им помогает.

Р.: **Ну что же**, поздравляю. Ты стал дядей. Передай им, пожалуйста, большой привет.

Диалог 2

— **Кого́ я ви́жу!** Серге́й, э́то ты?

— Прости́те, но мне ка́жется, мы не знако́мы.

— Как! Ты меня́ не узнаёшь? **Я же** И́горь Петро́в!

— И́горь?! Петро́в?! **Го́споди, ско́лько лет, ско́лько зим!**

— Мы лет 20 не ви́делись?

— Да, тру́дно узна́ть челове́ка, е́сли не ви́дел его́ 20 лет.

— А я тебя́ сра́зу узна́л. Ты почти́ не измени́лся.

— **Ну, да!** Измени́лся, и о́чень.

— А мне ка́жется, нет. Всё тако́й же **стро́йный краси́вый брюне́т.**

— К сожале́нию, уже́ не брюне́т. Седо́й совсе́м.

— **Ну и что!** Седина́ тебе́ о́чень идёт.

— Как живёшь? Рабо́таешь? Семья́ есть?

— Рабо́таю, и семья́ есть. Де́ти уже́ взро́слые. А ты?

— У меня́ то́же всё норма́льно. Приходи́ в го́сти. Познако́млю тебя́ с жено́й, до́чкой.

— С удово́льствием.

— Запиши́ а́дрес: Больша́я Морска́я, дом 2, кварти́ра 39. Приходи́ в воскресе́нье, в 5 часо́в.

— Обяза́тельно приду́.

— **Вот** до́ма и поговори́м обо всём. Ждём тебя́ в воскресе́нье. Пока́.

— До свида́ния.

Задание 10. Как эти люди ответили бы на вопросы журналиста? Если не знаете сами, поищите ответ в Интернете. Какие ещё вопросы вы задали бы этим людям?

Где и когда вы родились?

Кто были ваши родители?

Кто вы по профессии?

Кем вы хотели стать, когда были маленьким (-ой)?

У вас есть семья? Она дружная?

Как вы познакомились с вашей женой (вашим мужем)?

Почему вы (не) вышли замуж?

Сколько вам было лет, когда вы женились?

Ваш муж (ваша жена) помогает вам в работе?

Вам нравятся деловые женщины или красивые?

Какие мужчины вам нравятся: сильные или умные?

У вас есть дети? Они уже взрослые?

Какой вид спорта вы любите?

Как вы отдыхаете?

Что вы больше всего не любите?

Вы были счастливы? Как стать счастливым?

Лев Толстой,
писатель

Мать Тереза

Принцесса Диана

Юрий Гагарин,
первый в мире
космонавт

Валерий Гергиев,
дирижёр

Владимир Путин,
президент

Вупи Голдберг,
киноактриса

Михаил Калашников,
конструктор

Марат Сафин,
спортсмен-теннисист

Анна Курникова,
теннисистка

Джеки Чан,
киноартист

Ульяна Лопаткина,
балерина

Ванесса Мей,
скрипачка

Наталья Водянова,
топ-модель

Давайте поговорим!

1. Как вы поняли из текста, Сирпа не работает, потому что у неё маленький ребёнок. Как вы думаете, это правильно? Может быть, лучше, если женщина работает,

— а ребёнок ходит в детский сад;

— а с ребёнком сидит бабушка или няня.

2. Рамон ещё не женился, но у него есть подруга. Как вам кажется, почему молодые люди сейчас живут некоторое время вместе и женятся не сразу?

3. Должны ли родители помогать молодым людям встать на ноги?

4. У Хуссейна дружная семья. Как вы думаете, это хорошо, когда родители и взрослые дети живут вместе?

5. Ирена стала деловой женщиной. Как вы понимаете, что такое деловая женщина?

6. Клаус купил дом. Трудно ли купить дом в вашей стране?

7. Том учится и подрабатывает. Почему студенты обычно работают?

Повторение — мать учения

*Слова и словосочетания, которые помогут вам
рассказать о себе, о своих родственниках и знакомых*

ЗНАКО́МИТЬСЯ — ПОЗНАКО́МИТЬСЯ (*с кем?*)

ЗНАКО́МИТЬ — ПОЗНАКО́МИТЬ (*кого? с кем?*)

РОДИ́ТЬСЯ (*в каком году? где?*)

РОДИ́ТЕЛИ

(*кому?*) СКО́ЛЬКО ЛЕТ?

СТА́РШИЙ, МЛА́ДШИЙ, ДВОЮ́РОДНЫЙ (брат)

ВЗРО́СЛЫЙ

ЖИТЬ, УЧИ́ТЬСЯ (*где?*)

РАБО́ТАТЬ, СТАТЬ (*кем?*)

ПОДРАБА́ТЫВАТЬ — ПОДРАБО́ТАТЬ (*где? кем?*)

ЗАКА́НЧИВАТЬ — ЗАКО́НЧИТЬ (*что?*)

ЗАНИМА́ТЬСЯ (*чем?*)

КТО ВЫ ПО ПРОФЕ́ССИИ?

БЫТЬ НА ПЕ́НСИИ

ЖЕНИ́ТЬСЯ (*на ком?*), ВЫХОДИ́ТЬ — ВЫ́ЙТИ ЗА́МУЖ (*за кого?*)

ОН ЖЕНА́Т, ОНА́ ЗА́МУЖЕМ. ОНИ́ ЖЕНА́ТЫ

(*у кого?*) ДВО́Е, ТРО́Е, ЧЕ́ТВЕРО ДЕТЕ́Й.

ДЕЛОВО́Й ЧЕЛОВЕ́К, ДЕЛОВА́Я ЖЕ́НЩИНА.

ЧА́СТНАЯ ПРА́КТИКА, ФИ́РМА

Используя слова, словосочетания и грамматический материал темы, выполните следующие задания.

Задание 1. Как вы думаете, на какие вопросы отвечал человек, который заполнил анкету?

1. .... Игорь Смирно́в.
2. .... 05.02.1972 г., Но́вгород.
3. .... в 1995 г. Санкт-Петербу́рг-ский государственный университет.
4. .... жена́т. Моя́ жена́, Смирно́ва Ни́на Ива́новна, 1975 г.р.
5. .... име́ю двои́х дете́й.
6. .... шофёр.
7. .... таксопа́рк № 4.

Задание 2. Напишите рассказ об Игоре Смирнове, используя материал анкеты и свою фантазию.

Задание 3. Если бы вы были журналистом, у кого из известных людей вы хотели бы взять интервью? Какие вопросы вы подготовили бы для этого интервью?

Задание 4. Напишите свою биографию.

....
....
....
....
....
....
....
....
....
....
....
....
....

Владимир Владимирович Маяковский (1893–1930) — известный русский советский поэт, с восторгом встретивший социалистическую революцию 1917 года. Весь свой поэтический талант отдал пропаганде новой советской действительности.

Я САМ

Я — поэт. Этим и интересен. Об этом и пишу.

Главное.

Родился 7 июля 1893 года. Родина – село Багдады около Кутаиси, Грузия.

Состав семьи.

Отец: Владимир Константинович, багдадский лесничий. Умер в 1906 году. Мама: Александра Алексеевна. Сёстры Люда и Оля. Была ещё тётя Анюта.

Возникновение романтизма.

Хорошо помню наш первый дом. В нём два этажа. Верхний — наш. На нижнем — винный завод. Раз в год привозили много винограда, делали вино. Я ел виноград. Всё это было на территории старинной грузинской крепости. За крепостью — леса. За лесами — горы. Когда я немного вырос, я бегал на самую высокую. На севере была Россия. Туда хотелось сильно.

Учение.

Учила меня мама и сёстры. Арифметика была для меня странной наукой, потому что надо было считать яблоки и груши и делить их между мальчиками. Такие были арифметические задачи. А у нас на Кавказе фруктов было так много, что их никогда не считали. С удовольствием начал читать.

Первая книга.

Какая-то «Птичница Агафья». Если бы мне в то время дали несколько таких книг — перестал бы читать совсем. К счастью, вторая — «Дон Кихот». Вот настоящая книга!

Социализм.

Речи, газеты. Много незнакомых слов. Пробую объяснить их себе. Много книг. Покупаю все. Встаю в шесть утра и читаю. Удивила способность социалистов объяснять факты, объяснять, что происходит в мире.

1906 год.

Умер отец. После его похорон у нас осталось три рубля. Мы продали всю мебель и переехали в Москву.

Партия.

1908 год. Вступил в партию РСДРП. Агитировал за революцию.

Чтение.

Художественную литературу не читал. Только книги по философии и естествознанию. Но больше всего – марксизм.

Первое стихотворение.

В гимназии издавали маленький журнал. Я обиделся. Другие могут, а я не могу? Начал писать. Получилось очень революционно и очень плохо. Написал второе. Получилось очень лирично. Не понравилось. Перестал писать совсем.

Выбор.

Я хочу писать. У меня уже есть опыт в жизни. Мне нужен опыт в искусстве. Я неуч. Мне нужно учиться. Я пришёл к товарищу и сказал, что хочу делать социалистическое искусство. Он долго смеялся. Я думаю, что он меня недооценил.

Одиннадцать месяцев в тюрьме.

Важное для меня время. После трёх лет теории и практики революции начал читать художественную литературу. Прочитал всё самое новое. Потом начал читать классиков: Байрон, Шекспир, Толстой. Последняя книга – «Анна Каренина». Не дочитал. Выпустили из тюрьмы.

Начало мастерства.

Думал, что стихи писать не смогу. Начал изучать живопись. Работал хорошо. Однажды написал стихотворение, показал его другу. Сказал, что это написал один мой знакомый. Друг посмотрел на меня и сказал: «Да это вы сами написали! Вы гениальный поэт!» Я был так рад, что весь ушел в стихи.

Октябрь.

Принимать революцию или не принимать? Такого вопроса у меня не было. Моя революция. Пошёл в Смольный. Работал. Делал всё, что нужно было.

1926 год.

Работаю газетчиком, журналистом. Пишу статьи, фельетоны. Многие поэты смеются, а мне смешно смотреть на их лирические стихи, которые никому кроме жены неинтересны.

1928 год.

Многие говорят: «Ваша автобиография не очень серьёзна». Правильно. Ведь я ещё не стал академиком.

НИЧЕГО НЕ ПОНИМАЮТ

Вошёл к парикмахеру, сказал — спокойный:
"Будьте добры, причешите мне уши".
Гладкий парикмахер сразу стал хвойный,
лицо вытянулось, как у груши.
"Сумасшедший!
Рыжий!" —
запрыгали слова.
Ругань металась от писка до писка,
и до-о-о-о-лго
хихикала чья-то голова,
выдёргиваясь из толпы, как старая редиска.

1913

СТИХИ О СОВЕТСКОМ ПАСПОРТЕ

...По длинному фронту
купе
и кают
чиновник
учтивый
движется.
Сдают паспорта,
и я
сдаю
мою
пурпурную книжицу.
К одним паспортам —
улыбка у рта.
К другим —
отношение плёвое.
С почтеньем
берут, например,
паспорта
с двухспальным
английским левою.
Глазами
доброго дядю выев,
не переставая
кланяться,

берут,
как будто берут чаевые,
паспорт
американца.
На польский —
глядят,
как в афишу коза.
На польский —
выпяливают глаза
в тугой
полицейской слоновости —
откуда, мол,
и что это за
географические новости?
... Я
достаю
из широких штанин
дубликатом
бесценного груза.
Читайте,
завидуйте,
я —
гражданин
Советского Союза.

 НЕОКОНЧЕННОЕ

Любит? не любит? Я руки ломаю
и пальцы
        разбрасываю разломавши
так рвут загадав и пускают
                по маю
венчики встречных ромашек
пускай седины обнаруживает стрижка и бритьё
Пусть серебро годов вызванивает
                уймою
надеюсь верую вовеки не придёт
ко мне позорное благоразумие.

24

2

СЕМЬЯ

Задание 1.

Расскажи́те о свое́й семье́. У вас есть муж/жена́, де́ти? Кто ва́ши роди́тели, чем они́ занима́ются? Есть ли у вас бра́тья и сёстры, ба́бушки и де́душки? Ско́лько им лет? Как вы ду́маете, о ком мо́жно сказа́ть: «Они́ живу́т душа́ в ду́шу»?

Прочита́йте текст. Обрати́те внима́ние на вы́деленные констру́кции.

Ива́н Петро́вич получи́л письмо́

Здра́вствуйте, Ива́н Петро́вич!

Извини́те, что давно́ Вам не писа́ла: у меня́ так мно́го новосте́й, а вре́мени так ма́ло. Напишу́ о са́мом гла́вном. Год наза́д я **вы́шла за́муж**. И как Вы ду́маете, **за кого́**? **За** моего́ францу́зского дру́га **Мишéля**. По́мните его́? Вы сейча́с его́ не узна́ете. Он тако́й серьёзный, рабо́тает днём и но́чью, но не забыва́ет, что до́ма его́ ждёт жена́ и ма́ленькая до́чка. И э́то са́мая прия́тная но́вость: у нас роди́ла́сь де́вочка. Зна́ете, когда́? 25-ого декабря́! Хоро́ший пода́рок на Рождество́! Тепе́рь нас тро́е. Мы **назва́ли её Мари́**, потому́ что так зову́т мою́ свекро́вь. Мари́ **похо́жа на меня́**.

Роди́тели Мишéля живу́т недалеко́ от нас. Его́ па́па уже́ на пе́нсии, а ма́ма ещё рабо́тает, потому́ что ей то́лько 55 лет. Она́ **на 10 лет моло́же моего́ свёкра**. Они́, коне́чно, помога́ют нам.

Я, как вы понима́ете, сейча́с не рабо́таю. До́чке ну́жно так мно́го внима́ния! Вы, наве́рное, ду́маете, что я совсе́м забы́ла ру́сский язы́к. Но э́то не так. У Мишéля есть двою́родный брат. Его́ зову́т Жан. Неда́вно он на́чал изуча́ть ру́сский язы́к в университе́те. В свобо́дное вре́мя я помога́ю ему́ переводи́ть те́ксты, де́лать упражне́ния, объясня́ю грамма́тику. То́лько сейча́с я поняла́, кака́я тру́дная у вас рабо́та.

Как жаль, что свобо́дного вре́мени так ма́ло! Но я наде́юсь, что че́рез 2 го́да, когда́ моя́ дочь пойдёт в де́тский сад, я сно́ва бу́ду рабо́тать экскурсово́дом, изуча́ть языки́ и занима́ться спо́ртом.

А как Ва́ши дела́? Что но́вого? Пи́шут ли Вам Кла́ус, Том, Ире́на, Рамо́н и Хуссе́йн? Два ме́сяца наза́д мне звони́л Кла́ус и сказа́л, что он купи́л дом в при́городе Берли́на. А полго́да наза́д Ире́на была́ в Марсе́ле с гру́ппой тури́стов. Она́ приходи́ла ко мне в го́сти, мы смотре́ли фотогра́фии, вспомина́ли Петербу́рг и на́шу весёлую гру́ппу. Како́е прекра́сное бы́ло вре́мя!

Бу́ду ра́да получи́ть от Вас письмо́.

До свида́ния. Си́рпа.

Ответьте на вопросы:

1. За кого́ вы́шла за́муж Си́рпа? 2. Кто у неё роди́лся? 3. Как она́ назвала́ до́чку? 4. Почему́ Си́рпа и Мише́ль назва́ли до́чку Мари́? 5. Когда́ она́ родила́сь? 6. На кого́ она́ похо́жа? 7. Где живу́т роди́тели Мише́ля? 8. Чем они́ занима́ются? 9. Ско́лько им лет? 10.Чем занима́ется Си́рпа в свобо́дное вре́мя? 11. Каки́е у неё пла́ны?

Accusative

Что?	_Что?_
портре́т	портре́т
зда́ние	зда́ние
шко́ла, аудито́рия, пло́щадь	шко́лу, аудито́рию, пло́щадь
столы́	столы́
о́кна	о́кна
кни́ги	кни́ги

Кто?	_Кого?_
Алекса́ндр, преподава́тель	Алекса́ндра, преподава́теля _S_
А́нна, Ю́лия, мать	А́нну, Ю́лию, мать _S_
студе́нты, врачи́	студе́нтов, враче́й _pl_
подру́ги	подру́г

Упражнение 1. Раскройте скобки.

Accusative

1. Мой брат похо́ж (ма́ма). 2. Ле́на вы́шла за́муж (Алекса́ндр). 3. Мои́ друзья́ назва́ли (дочь) Гали́на. 4. Неда́вно я прочита́л (статья́) по-англи́йски. 5. (Его́ жена́) зову́т А́ня. 6. Студе́нты изуча́ют (биоло́гия). 7. Ле́том мы е́здили (Москва́). 8. Его́ мла́дшая дочь похо́жа (де́душка).

Какой? Какое? Какая? Какие?	_Какой? Какое? Какую? Какие?_
Моско́вский вокза́л	Моско́вский вокза́л _Accusative_
Чёрное мо́ре	Чёрное мо́ре _+ adjectives_
Пу́шкинская у́лица, си́няя пти́ца	Пу́шкинскую у́лицу, си́нюю пти́цу
краси́вые дома́	краси́вые дома́

Какой? Какая? Какие?	Какого? Какую? Каких?
интере́сный челове́к, ста́рший (мой, наш) брат	интере́сного челове́ка, ста́ршего (моего́, на́шего) бра́та
ру́сская балери́на, трёхле́тняя (моя́, на́ша) дочь	ру́сскую балери́ну, трёхле́тнюю (мою́, на́шу) дочь
но́вые друзья́, подру́ги америка́нские (мои́, на́ши) знако́мые	но́вых друзе́й, подру́г, америка́нских (мои́х, на́ших) знако́мых

Это вы помните! (Жили-были, с. 18)
Я — меня
Ты — тебя и т.д.

Упражнение 2. Ответьте на вопросы, используя слова, данные справа.

1. Како́й текст вы чита́ли на уро́ке? — Тру́дный, но интере́сный.
2. На кого́ похо́ж ваш сын? — Мой ста́рший брат.
3. За кого́ вы́шла за́муж твоя́ сестра́? — Наш ста́рый друг.
4. Каки́х студе́нтов вы ви́дели на вы́ставке? — Иностра́нные.
5. Каку́ю му́зыку вы лю́бите? — Класси́ческая.
6. Како́го арти́ста вы встре́тили на у́лице? — Изве́стный, популя́рный.
7. Како́е зда́ние постро́или на ва́шей у́лице? — Высо́кое, совреме́нное.
8. Каки́х друзе́й вы пригласи́ли в го́сти? — Мои́ ста́рые.
9. Каки́е фи́льмы вы лю́бите? — Музыка́льные.
10. Куда́ вы пое́дете отдыха́ть в э́том году́? — Сре́дняя А́зия.

Упражнение 3. Восстановите вопросы к данным ответам. Где возможно, употребите слово *какой*.

1. .... ?
   — Моя́ сестра́ назвала́ сы́на Билл.
2. .... ?
   — Мою́ тётю зову́т Ната́лья Па́вловна.
3. .... ?
   — Я похо́ж на отца́.

4. .... ?

— Я смотре́ла но́вый францу́зский фильм.

5. .... ?

— Она́ вы́шла за́муж за италья́нца.

6. .... ?

— Вчера́ ве́чером я ходи́л на дискоте́ку.

7. .... ?

— В суббо́ту мы слу́шали о́перу «Евге́ний Оне́гин».

8. .... ?

— Мы пригласи́ли на ве́чер неме́цких журнали́стов.

9. .... ?

— Мы жда́ли в аудито́рии на́шего но́вого преподава́теля.

Кто? Что?	*Кому? Чему?*
друг, писа́тель	дру́гу, писа́телю
теа́тр, музе́й	теа́тру, музе́ю
у́тро, пла́тье	у́тру, пла́тью
актри́са, Та́ня, Мари́я	актри́се, Та́не, Мари́и
ла́мпа, Герма́ния, о́сень	ла́мпе, Герма́нии, о́сени
кни́ги, аудито́рии	кни́гам, аудито́риям

Какой? Какое? Какая? Какие?	*Какому? Какой? Каким?*
родно́й брат	родно́му бра́ту
ли́шний (мой, ваш) биле́т	ли́шнему (моему́, ва́шему) биле́ту
но́вое пла́тье	но́вому пла́тью
молода́я же́нщина	молодо́й же́нщине
дома́шняя (моя́, ва́ша) рабо́та	дома́шней (мое́й, ва́шей) рабо́те
но́вые журна́лы	но́вым журна́лам
после́дние (мои́, ва́ши) но́вости	после́дним (мои́м, ва́шим) новостя́м

Это вы помните! (Жили-были, с. 97)
Я — мне,
ты — тебе и т.д.

Упражнение 4. Ответьте на вопросы, используя слова, данные справа.

1. Кому́ вы ча́сто пи́шете пи́сьма?	Мои́ роди́тели и шко́льные друзья́.
2. Кому́ вы звони́ли в воскресе́нье?	Ста́рший брат и мла́дшая сестра́.
3. Како́й учи́тельнице вы подари́ли фотогра́фию?	Моя́ пе́рвая учи́тельница.
4. Како́му преподава́телю вы сдава́ли экза́мен?	Стро́гий преподава́тель.
5. Кому́ вы купи́ли цветы́?	Изве́стная певи́ца.
6. Каки́м студе́нтам вы помога́ете изуча́ть ру́сский язы́к?	Иностра́нные студе́нты.
7. Кому́ нра́вится путеше́ствовать?	Мой двою́родный брат.
8. Кому́ вы посове́товали купи́ть уче́бник «Жи́ли-бы́ли...»?	Францу́зские студе́нты.
9. Кому́ ну́жно спать днём?	Наш мла́дший сын.

Упражнение 5. Скажите, сколько лет этим людям.

1. Мой оте́ц — 51. 2. Моя́ мать — 49. 3. На́ша ба́бушка — 72. 4. Ста́рший брат — 25. 5. Мла́дшая сестра́ — 20. 6. Э́тот молодо́й учёный — 34. 7. Ваш но́вый преподава́тель — 43. 8. Их двою́родная сестра́ — 14. 9. Э́та краси́вая молода́я де́вушка — 21. 10. Наш сосе́д — 88.

Готовимся к разговору

Задание 1. Прочитайте (прослушайте) диалог. Передайте друг другу содержание диалога. Используйте слова *сказал, спросил, ответил*.

Модель: *Игорь:* Ты зна́ешь, Ната́ша вы́шла за́муж.
Сергей: За кого́?
Игорь: За моего́ лу́чшего дру́га.
Игорь сказа́л, что Ната́ша вы́шла за́муж. Серге́й спроси́л, за кого́.
Игорь отве́тил, что она́ вы́шла за́муж за его́ лу́чшего дру́га.

1. *Антон:* У меня́ родила́сь дочь.
Саша: Поздравля́ю, а как вы её назва́ли?
Антон: Её назва́ли Ма́ша.

2. *Света:* Мой брат око́нчил университе́т и уже́ рабо́тает.
Катя: А кем он рабо́тает?
Света: Он рабо́тает программи́стом.

3. *Лена:* Мой оте́ц уже́ пенсионе́р.
Юра: А ско́лько ему́ лет?
Лена: Ему́ 63 го́да.

4. *Аня:* Ты зна́ешь, что Алёша жени́лся?

   Нина: На ком?

   Аня: Он жени́лся на мое́й двою́родной сестре́.

5. *Джим:* Ты не зна́ешь, в како́м году́ роди́лся Пу́шкин?

   Воло́дя: Коне́чно, знаю. Пу́шкин роди́лся в 1799 году́.

6. *Оля:* На кого́ похо́жа твоя́ дочь?

   Дима: Она́ похо́жа на мою́ тёщу.

7. *Олег:* Мои́ роди́тели неда́вно развели́сь, и оте́ц уе́хал жить в Москву́.

   Лари́са: А где сейча́с живёт твоя́ ма́ма?

   Олег: Она́ сейча́с живёт с мое́й сестро́й.

8. *Ирина:* Мой муж ста́рше меня́.

   Таня: На ско́лько лет?

   Ирина: Он ста́рше на 6 лет.

Зада́ние 2. Восстанови́те пропу́щенные ре́плики.

1. — У Бори́са роди́лся сын.

   — ....?

   — Его́ назва́ли Ива́н.

2. — У нас но́вая студе́нтка.

   — ....?

   — Её зову́т О́ля.

3. — Мари́на Алексе́евна вы́шла за́муж.

   — ....?

   — За Никола́я Петро́вича.

4. — Мой оте́ц пенсионе́р.

   — ....?

   — Он рабо́тал врачо́м.

5. — Ка́тя ве́чером ходи́ла на трениро́вку.

   — ....?

   — Она́ занима́ется волейбо́лом.

6. — Пьер вчера́ купи́л сувени́ры.

   — ....?

   — Друзья́м и роди́телям.

Задание 3. Составьте диалоги на основе предложенных ситуаций. Используйте словосочетания, данные в скобках.

1. Ваш друг женился / ваша подруга вышла замуж. Расспросите его / её о жене / муже (познакомиться; зовут кого как; кому сколько лет; старше / младше на сколько лет; заниматься чем...)

2. У ваших друзей родился ребёнок. Расспросите о нём (родиться когда; назвать кого как; похож на кого...)

3. Вы директор фирмы. Задайте вопросы желающим получить у вас работу (родиться когда? где?; учиться где?; работать кем?; ...)

4. Вы муж и жена. Муж хочет пойти на футбол, а жена – в театр (интересный матч; спектакль; давно не были; дорогие билеты; известные артисты; смотреть футбол по телевизору; чемпионат мира...)

5. Ваша дочь хочет выйти замуж. Вы считаете, что это рано (очень молодая; учиться в университете; плохо знать друг друга; жить с родителями...)

Задание 4. Объясните, как вы понимаете следующие поговорки: *жить на широкую ногу, жить как кошка с собакой, с милым рай и в шалаше.* **Придумайте ситуации, в которых их можно употребить.**

Задание 5. Прочитайте диалоги про себя, обратите внимание на выделенные слова и словосочетания, типичные для русской разговорной речи. Прослушайте их в записи. Прочитайте диалоги вслух. Попробуйте продолжить разговор собеседников.

Диалог 1

— Антóн, привéт! Ты не знáешь, где Кóля? Давнó егó не вúдел, а вчерá звонúл, но никогó нé было дóма.

— Я тóже давнó с ним не разговáривал, но я слýшал, что у негó сейчáс большáя проблéма. Он развёлся.

— С Натáшей?! **Не мóжет быть!**

— К сожалéнию, это прáвда.

— А ребёнок? Скóлько лет сейчáс Вéрочке?

— **Гóда три,** я дýмаю.

— Какáя трагéдия! А скóлько лет онú жúли вмéсте?

— Он женúлся на ней пять лет назáд.

— **Что же** случúлось?

— **Чéстно говоря,** не знáю. Антóн говорúт, что онú не понимáли друг дрýга, что у них рáзные харáктеры...

— Это все говоря́т. Здесь чтó-то бóлее серьёзное. Онú же так хорошó жúли.

— **Ну, что же.** Жизнь есть жизнь.

Диалог 2

— Алло́, э́то Ка́тя?

— Да, э́то я.

— Катю́ша, ты меня́ не узнаёшь?

— Мари́нка, **неуже́ли** э́то ты? Когда́ ты прие́хала?

— То́лько вчера́.

— **Что ты говори́шь!** Молоде́ц, что сра́зу позвони́ла. Ско́лько же мы не ви́делись?

— Почти́ год. **Ну**, как ты? Ведь после́дний раз мы ви́делись на твое́й сва́дьбе. Расскажи́ мне о себе́.

— У нас с му́жем всё хорошо́, **живём душа́ в ду́шу**. Пробле́мы други́е. Ты же зна́ешь, что мой муж — еди́нственный ребёнок в семье́. **Ну вот**, его́ ма́мочка ду́мает, что мы ещё де́ти и не мо́жем жить без её по́мощи. **Коро́че говоря́**, она́ ка́ждый ве́чер к нам прихо́дит, де́сять раз в день звони́т и сове́тует, сове́тует, сове́тует.

— Ну, свекро́вь есть свекро́вь. А как его́ оте́ц?

— Свёкор у меня́ **золото́й**, да и други́е ро́дственники отли́чные.

— Э́то уже́ **здо́рово**. А свекро́вь, я ду́маю, ско́ро поймёт, что вы уже́ взро́слые самостоя́тельные лю́ди, и всё бу́дет норма́льно.

О.Ренуар.
Танец

Задание 6. Посмотрите на картины известных художников. Опишите представленные на них ситуации.

П.Федотов.
Сватовство майора

А.Матисс.
Разговор

С. Филиппова.
Домой

Давайте поговорим!

1. В каком возрасте лучше жениться и выходить замуж?

2. Как вы понимаете выражения *брак по любви, брак по расчёту*? Какой брак лучше: по любви или по расчёту?

3. Как вы относитесь к службе знакомств? Может ли она помочь создать счастливую семью?

4. Какие условия необходимы для семейного счастья? Сходство характеров, готовность помогать друг другу, общие интересы, деньги?

5. Сколько детей должно быть в семье? Почему в современных семьях мало детей? Может ли быть счастливой бездетная семья?

6. Какими должны быть отношения с родственниками?

Повторение — мать учения

Слова и словосочетания,
которые помогут вам рассказать о семье

ЖЕНИ́ТЬСЯ (*на ком?*)

ВЫХОДИ́ТЬ — ВЫ́ЙТИ ЗА́МУЖ (*за кого?*)

РАЗВОДИ́ТЬСЯ — РАЗВЕСТИ́СЬ (*с кем?*)

БЫТЬ СТА́РШЕ / МЛА́ДШЕ (*кого? на сколько лет?*)

(*у кого?*) РОДИ́ЛСЯ (*кто?*)

НАЗЫВА́ТЬ— НАЗВА́ТЬ (*кого? как?*)

(*кто?*) ПОХО́Ж (*на кого?*)

ПОЙТИ́ В ДЕ́ТСКИЙ САД, В ШКО́ЛУ

СВЁКОР, СВЕ КРО́ВЬ

ТЕСТЬ, ТЁЩА

ЖЕНА́, МУЖ

БА́БУШКА, ДЕ́ДУШКА

ДОЧЬ, СЫН, БЛИЗНЕЦЫ́

ВНУК, ВНУ́ЧКА

ЗЯТЬ, НЕВЕ́СТКА

Используя слова, словосочетания и грамматический материал темы, выполните следующие задания.

Задание 1. Скажите (напишите), используя лексику урока, что значат следующие словосочетания:

многоде́тная семья́ ....

безде́тная семья́ ....

мать-одино́чка ....

сёстры-двойня́шки ....

о́тчий дом ....

да́льние ро́дственники ....

ма́менькин сыно́к ....

Задание 2. Вместо точек вставьте необходимые по смыслу слова.

Мой де́душка и ба́бушка .... в про́шлом ве́ке. Ба́бушка .... за де́душку, когда́ ей .... 18 лет. Её роди́тели, бу́дущие .... и .... де́душки бы́ли про́тив э́того бра́ка. «Така́я молода́я, така́я краси́вая полюби́ла челове́ка, кото́рый .... её .... 20 лет!» — говори́ла ей мать. «Он уже́ был два ра́за .... !» — говори́л ей оте́ц. Да, де́душка уже́ был жена́т. Со второ́й жено́й он .... , потому́ что встре́тил ба́бушку и по́нял, что не смо́жет без неё жить. Когда́ роди́тели ба́бушки познако́мились с бу́дущим .... , он им о́чень понра́вился. Они́ по́няли, что э́то настоя́щая любо́вь, а не брак по ....

Задание 3.

Лев Толсто́й на́чал свой рома́н «Анна Каре́нина» слова́ми:

«Все счастли́вые се́мьи похо́жи друг на дру́га, ка́ждая несчастли́вая семья́ несча́стлива по-сво́ему». Согла́сны ли вы с э́тими слова́ми писа́теля?

а) Напиши́те, что, с ва́шей то́чки зре́ния, де́лает семью́ счастли́вой или несчастли́вой?

....
....
....
....
....
....
....
....

б) Напиши́те ма́ленький расска́з на те́му «Семья́», зако́нчив его́ слова́ми Толсто́го.

....
....
....
....
....
....
....
....
....

Внеклассное чтение

Сергей Довлатов — один из тех писателей-эмигрантов, с прозой которых российский читатель познакомился только после перестройки. Свою задачу прозаик видел в том, чтобы «рассказать, как живут люди». На самом деле он рассказывает о том, как люди не умеют жить. С. Довлатов создал свой собственный жанр, в котором анекдот, смешной случай, нелепость превращаются в лирический текст. Когда читаешь его книги, удивляешься, насколько неожиданной может быть наша обычная повседневная жизнь.

НАШИ

— Наш мир абсурден, — говорю я своей жене, — и враги человека — домашние его.

Моя жена сердится, и я слышу:

— Твои враги — это дешёвый портвейн и крашеные блондинки!

— Значит, — говорю, — я настоящий христианин. Христос учил нас любить врагов своих...

— Эти разговоры продолжаются двадцать лет. Почти двадцать лет...

Познакомились мы в шестьдесят третьем году. Это случилось так. У меня была комната с отдельным входом. Каждый вечер у меня собирались друзья.

Однажды я проснулся среди ночи. Увидел грязную посуду на столе. *С тоской* подумал о вчерашнем. Помню, три раза бегали за водкой.

Вдруг чувствую — я не один. На диване между холодильником и радиолой кто-то спит. Я спросил:

— Вы кто?

— Лена, — ответил неожиданно спокойный женский голос.

Я задумался, потом спросил:

— А кто вы, Лена?

Спокойный женский голос сказал:

— Меня забыл Гуревич.

— Как это забыл?

— Гуревич напился и вызвал такси.

Наконец-то я вспомнил эту женщину. Худая, бледная, с монгольскими глазами.

День начинался странно и таинственно. Я пошёл в душ. После душа в моей жизни наступает какая-то ясность.

Выхожу через три минуты — кофе на столе, печенье, джем.

Мы завтракали, разговаривая о ерунде. Всё было мило, легко и даже приятно... Лена взяла вещи, надела туфли и говорит:

— Я пошла.

— Спасибо за приятное утро.

Вдруг слышу:

— Буду около шести.

— Хорошо, — говорю.

Я подумал, а вдруг она меня с кем-то путает? С каким-то близким и дорогим человеком?

Вечером поужинали. Я сел заниматься. Лена вымыла посуду.

Смотрю — час ночи. Надо ложиться спать. Лена говорит:

— Посидите на кухне.

Сижу, курю. Прочитал вчерашнюю газету. Прихожу в комнату – спит. На том же самом диване.

Я лег, послушал — ни одного звука... Я минут десять подождал и тоже уснул.

Утром всё снова. Легкая неловкость, душ и кофе с молоком...

Вечером я сказал:

— Лена, давайте поговорим. Происходит что-то непонятное. У меня есть несколько вопросов. Разрешите без церемоний.

— Я вас слушаю, — говорит.

Спрашиваю:

— Вам что, негде жить?

Немного обиделась. Вернее — слегка удивилась.

— Почему негде? У меня квартира в Дачном, а что?

— Да ничего... Мне показалось... Я думал... Тогда ещё один вопрос. Тысячу раз извините... Может быть, я вам нравлюсь?

Наступила пауза. Я чувствую, что краснею. Наконец, она сказала:

— У меня к вам претензий нет.

Она была абсолютно спокойна. Взгляд холодный и твёрдый, как угол чемодана.

— И последний вопрос. Только не сердитесь... Вы, случайно, не работник комитета государственной безопасности?

Всё бывает, думаю. Человек я всё-таки заметный. Достаточно много пью. Болтаю много. «Немецкая волна» обо мне говорила...

Слышу:

— Нет, я в парикмахерской работаю.

И потом:

— Если вопросов больше нет, давайте пить чай.

Так это всё и началось. Днем я бегал по городу и искал работу. Приходил расстроенный, униженный, злой. Лена спрашивала:

— Вам чаю или кофе?

Мы почти не разговаривали. Только деловая информация. Например, она говорила:

— Вам звонил какой-то Бескин...

Или:

— Где у нас стиральный порошок?

Мой режим изменился. Дамы почти не звонили. Да и что звонить, если отвечает спокойный женский голос?

Мы оставались совершенно незнакомыми людьми.

В субботу утром я сказал:

— Лена, послушайте меня! Разрешите мне быть откровенным. Мы живем как муж и жена... Но — без главного элемента такой жизни... Вы готовите, стираете... Объясните мне, что это значит? Я могу сойти с ума...

Лена спокойно посмотрела на меня.

— Вы хотите, чтобы я ушла?

— Не знаю, чего я хочу! Я хочу понять...

Лена помолчала, опустила монгольские глаза и говорит:

— Если вам нужно ЭТО — пожалуйста.

— Да нет уж, — говорю, — зачем?..

Разве я могу, думаю, *так грубо нарушить это спокойствие.*

Прошло ещё две недели. Спасла меня водка. Я пил в одной прогрессивной редакции. Домой приехал около часа ночи. Ну и, как бы это сказать... забылся... *посягнул....*

Это была не любовь. Даже не минутная слабость. Это была попытка уйти от хаоса. Мы даже не перешли на «ты».

А через год родилась дочка Катя. Так и познакомились...

(по С. Довлатову)

3

ДОМ. КВАРТИРА

Задание 1.

Расскажи́те о себе́: где вы сейча́с живёте — в це́нтре го́рода и́ли на окра́ине? В до́ме и́ли кварти́ре? Ва́ша кварти́ра больша́я и́ли ма́ленькая? На како́м она́ этаже́? В ва́шем до́ме есть лифт? Ско́лько у вас ко́мнат? Ва́ша кварти́ра удо́бная? Как вы понима́ете погово́рку: «До́ма и сте́ны помога́ют»?

Я живу́ **недалеко́ от ста́нции метро́**.
О́коло моего́ до́ма краси́вый парк.
Напро́тив па́рка стадио́н.
О́кна кварти́ры **выхо́дят на юг**.
У окна́ стои́т стол.
Мы **пове́сили на сте́ну** карти́ну.
Вчера́ **мы с Ната́шей** е́здили на да́чу.

Прочитайте текст. Обратите внимание на выделенные конструкции.

Иван Петрович отвечает Сирпе

Здра́вствуй, дорога́я Си́рпа!

Большо́е спаси́бо за письмо́. Как мно́го прия́тных новосте́й я узна́л о тебе́! Поздравля́ю тебя́ и Мише́ля с рожде́нием до́чери. Жела́ю вам всем здоро́вья и сча́стья. Я о́чень хорошо́ понима́ю, что у тебя́ сейча́с совсе́м нет вре́мени. Но ребёнок — э́то тако́е сча́стье! Вре́мя лети́т бы́стро, де́ти расту́т, и, мо́жет быть, ско́ро твоя́ ма́ленькая Мари́ то́же бу́дет изуча́ть ру́сский язы́к. Ты молоде́ц, что не забыва́ешь его́!

Вы то́же мо́жете поздра́вить меня́: я купи́л трёхкомнатную кварти́ру в но́вом и о́чень зелёном райо́не. По́мнишь, где нахо́дится ста́нция метро́ «Озерки́»? **Недалеко́ от э́той ста́нции** постро́или большо́й многоэта́жный дом. На́ша кварти́ра на шестна́дцатом этаже́. Представля́ешь, как высоко́! **Окно́** мое́й ко́мнаты **выхо́дит на юг, о́кна** большо́й ко́мнаты и спа́льни **выхо́дят на восто́к**, поэ́тому в кварти́ре почти́ весь день со́лнце. О́чень хорошо́, что у нас есть балко́н. Ле́том там бу́дет мно́го цвето́в.

В но́вую кварти́ру мы купи́ли но́вую ме́бель: дива́н и кре́сла в гости́ную, большо́й шкаф в коридо́р, кру́глый стол и сту́лья на ку́хню.

Тепе́рь у меня́ есть ко́мната, где я могу́ рабо́тать. **Там стоя́т** то́лько **дива́н, кни́жный шкаф** и **пи́сьменный стол. А на стене́ виси́т фотогра́фия** на́шей гру́ппы. Я всем говорю́, что э́то мой кабине́т.

В гости́ную мы поста́вили сте́нку, мя́гкую ме́бель, журна́льный сто́лик и, коне́чно, телеви́зор. Все говоря́т, что у нас о́чень ую́тно.

В кварти́ре больша́я ку́хня, и э́то нам о́чень нра́вится. Ты, коне́чно, по́мнишь, как мно́го вре́мени мы все прово́дим на ку́хне. Я да́же **поста́вил туда́ ма́ленький телеви́зор** и тепе́рь, когда́ я за́втракаю, могу́ смотре́ть но́вости.

Ну, а в спа́льне мы ничего́ не меня́ли. Ме́бель та же са́мая. **Пове́сили** то́лько но́вые **што́ры.**

Я специа́льно так мно́го написа́л тебе́ о на́шей кварти́ре, потому́ что тепе́рь, когда́ мы все встре́тимся, мы уже́ не бу́дем говори́ть: «В тесноте́, да не в оби́де».

Большо́й приве́т Мише́лю и ма́ленькой Мари́.

До свида́ния. Всего́ вам хоро́шего.

P.S. Че́рез неде́лю я е́ду в Барсело́ну в го́сти к Рамо́ну. Мы с ним позвони́м тебе́.

Ива́н Петро́вич.

Ответьте на вопросы:

1. Какую квартиру купил Иван Петрович? 2. В каком районе? 3. В каком доме? 4. На каком этаже? 5. Куда выходят окна квартиры? 6. Какую мебель купил Иван Петрович? 7. Что стоит в его кабинете? 8. Почему Иван Петрович поставил телевизор на кухню? 9. Как вы понимаете поговорку: «В тесноте, да не в обиде»?

Это вы помните! (Жили-были, с. 141)		
Около У Напротив Посредине	*чего?*	**Недалеко** *от чего?* **Рядом** *с чем?*

Кто? Что?	Кого? Чего?
инженер, преподаватель	инженера, преподавателя
стол, музей, портфель	стола, музея, портфеля
зеркало, здание	зеркала, здания
Марина, Катя, Лидия	Марины, Кати, Лидии
ваза, песня, тетрадь, фотография	вазы, песни, тетради, фотографии

Упражнение 1. Составьте словосочетания со следующими словами:

около — школа, университет, больница, консерватория, институт;

недалеко от — театр, музей, поликлиника, парк, филармония;

напротив — станция метро, окно, дом, академия, зоопарк, магазин;

у — стена, шкаф, стол, дверь, зеркало.

Какой? Какое? Какая?	Какого? Какой?
интересный человек	интересного человека
последний урок	последнего урока
большое окно	большого окна
раннее утро	раннего утра
известная певица	известной певицы
летняя ночь	летней ночи

Упражнение 2. Ответьте на вопросы. Используйте слова, данные справа.

1. Где находится филармония?	около, Русский музей
2. Где ты будешь ждать меня?	напротив, Мариинский театр
3. Где живут твои родители?	недалеко от, Исаакиевская площадь
4. Где вы сидели?	рядом с, мой друг
5. Где находится ваша дача?	около, станция Репино
6. Где висит картина?	около, книжный шкаф
7. Где находится станция метро?	напротив, Казанский собор
8. Где живёт твой друг?	недалеко от, Публичная библиотека
9. Где мы встретимся завтра?	у, Пушкинский театр
10. Где стоит стол?	посредине, комната

Упражнение 3. Измените данные словосочетания по модели.

Модель: брат и я — мы с братом

1. подруга и он — ....

2. сестра и ты — ....

3. Катя и я — ....

4. родители и мы — ....

5. друзья и вы — ....

стоять		там	ставить (поставить)	туда
лежать	*где?*		класть (положить) *что? куда?*	
висеть		здесь	вешать (повесить)	сюда

Куда?

туда — сюда

Упражнение 4. Вместо точек вставьте нужный глагол.

1. Книги ... на полу. — Кто ... их на пол?

2. Одежда ... на стульях. — Кто ... одежду на стулья?

3. Цветы ... на холодильнике. — Зачем ты ... цветы на холодильник?

4. Фотография ... на столе. — Почему ты не ... фотографию на стену?

5. Журналы ... на кровати. — ... их на журнальный столик.

6. Молоко ... на столе. — Надо ... молоко в холодильник.

7. Где ... мой плащ? — Заче́м ты ... его́ в шкаф? Он же мо́крый.

8. Почему́ телефо́н ... на крова́ти? — Я ... телефо́н на крова́ть, потому́ что но́чью мне звони́л друг.

9. Где ... мои́ докуме́нты? Опя́ть они́ ... не на ме́сте! — Кто ... их сюда́?

10. Ва́ши ве́щи ... в чемода́не. — На́до ... их в шкаф.

Упражне́ние 5. Зако́нчите фра́зы, испо́льзуйте ну́жные глаго́лы.

1. Па́па положи́л де́ньги в шкаф, а ма́ма всегда́ ...

2. Ива́н Петро́вич поста́вил телеви́зор на ку́хню, ру́сские ча́сто ...

3. Шеф положи́л докуме́нты в сейф, он всегда́ ...

4. Сего́дня шёл дождь, и я пове́сил пальто́ в коридо́р, но обы́чно я ...

5. Почему́ вы пове́сили ковёр на сте́ну? Мы никогда́ не ...

6. Она́ поста́вила та́почки под крова́ть. Ка́ждый раз она́ ...

Упражне́ние 6. Вста́вьте ну́жный глаго́л.

Э́то мой кабине́т. В углу́ ... пи́сьменный стол. На столе́ ... кни́ги, журна́лы, словари́, тетра́ди, блокно́ты. Почему́ они́ не ... на по́лке? Потому́ что я перево́дчик, рабо́таю мно́го и всё должно́ быть под руко́й. Да́же на дива́не ... мои́ бума́ги. Жена́ всегда́ говори́т мне: «Убери́ всё на ме́сто!» Но мне не́когда, и она́ сама́ ... словари́ в кни́жный шкаф, ... бума́ги в пи́сьменный стол, а ру́чки и карандаши́ ... в стака́нчик, кото́рый ... на столе́. Она́ о́чень не лю́бит беспоря́док. Напро́тив дива́на ... шкаф, где должна́ ... моя́ оде́жда. Но она́ ... на сту́льях и дива́не, а не в шкафу́. Ведь я ка́ждый день хожу́ на рабо́ту, и мне не́когда иска́ть ве́щи в шкафу́. Не понима́ю, заче́м ну́жен шкаф! Так удо́бно, когда́ всё ря́дом. Жена́ всегда́ ... мои́ брю́ки и руба́шки в шкаф, а я опя́ть ... их на сту́лья. Когда́ я рабо́таю, я люблю́ пить чай. Я ... на стол ча́шку, пече́нье, конфе́ты. Иногда́ конфе́ты и пече́нье па́дают на пол, но я не замеча́ю, я же рабо́таю! Не понима́ю, почему́ жене́ э́то не нра́вится?

**Клади́(те)! — Положи́(те)!
Ста́вь(те)! — Поста́вь(те)!
Ве́шай(те)! — Пове́сь(те)!**

Упражне́ние 7. Отве́тьте на вопро́сы, испо́льзуя слова́: *положи́(те), поста́вь(те), пове́сь(те).*

1. Куда́ поста́вить цветы́? 2. Куда́ положи́ть сыр? 3. Куда́ пове́сить плащ? 4. Куда́ положи́ть биле́ты? 5. Куда́ пове́сить карти́ну? 6. Куда́ поста́вить телеви́зор? 7. Куда́ пове́сить брю́ки? 8. Куда́ положи́ть де́ньги? 9. Куда́ поста́вить кре́сло?

44

Готовимся к разговору

Задание 1. Посмотрите на картинку и скажите, что где *стоит, висит, лежит*. Используйте слова *около, напротив, у, посредине, слева от, справа от, рядом с*.

Задание 2. Посмотрите на рисунок задания еще раз. Вам не нравится, как стоит мебель в этой квартире? Как вы думаете, куда лучше поставить, положить, повесить все эти вещи?

Задание 3. Задайте вопросы к следующим фразам.

1. .... ?
Мы живём в но́вом райо́не.
2. .... ?
У нас трёхко́мнатная кварти́ра.

3. .... ?

Óкна ко́мнат выхо́дят на восто́к, а окно́ ку́хни — на за́пад.

4. .... ?

На́ша кварти́ра на тре́тьем этаже́.

5. .... ?

Да, у нас есть балко́н.

6. .... ?

Мы перее́хали в э́ту кварти́ру год наза́д.

7. .... ?

Да, наш райо́н о́чень зелёный.

8. .... ?

Нет, о́коло на́шего до́ма нет ста́нции метро́.

9. .... ?

В на́шем до́ме двена́дцать этаже́й.

10. .... ?

В большо́й ко́мнате стоя́т сте́нка, мя́гкая ме́бель, ту́мбочка, телеви́зор, стол, четы́ре сту́ла и пиани́но.

11. .... ?

Портре́т мое́й ба́бушки виси́т в моём кабине́те.

Зада́ние 4. Прочита́йте объявле́ния и соста́вьте подо́бные.

Меня́ю 3-комн. кварти́ру (метро, новый райо́н); 12-этажн. дом / 7 этаж на 2-комн. и 1-комн. Тел. 315-20-12

Продаю́ 2-комн. кварти́ру (метро, центр); 5-этажн. дом/ 5 этаж, лифт. Тел. 148-19-90. Спроси́ть Ми́шу.

Сдаю́ ко́мнату в 4-комн. кварти́ре (метро «Садо́вая»), 2 этаж, балко́н. Тел. 114-70-60.

Сниму́ 1-комн. кварти́ру (м. «Пионе́рская»); телефон, все удо́бства. Тел. 956-00-11.

Задание 5. Составьте диалоги на основе предложенных ситуаций. Используйте словосочетания, данные в скобках.

1. Ваш друг переехал в новую квартиру. Вы были у него в гостях. Расскажите о его квартире (большая, светлая....; 16-этажный дом, окраина города, зелёный район; 3-комнатная; новая мебель; в большой комнате стоит..., лежит..., висит...)

2. Вы купили мебель для своего кабинета. Скажите, куда и что вы поставите, повесите, положите (письменный стол, компьютерный стол, полки, кровать..., посредине, в угол, напротив...)

3. Расспросите вашу подругу о квартире, которую она купила недавно (где находится..., на каком..., в каком..., сколько комнат..., у вас есть...).

Задание 6. Объясните, как вы понимаете следующие выражения: *мой дом — моя крепость; чувствовать себя как дома; дом — полная чаша.* **Придумайте ситуации, в которых их можно употребить.**

Задание 7. Прочитайте диалоги про себя, обратите внимание на выделенные слова и словосочетания, типичные для русской разговорной речи. Прослушайте их в записи. Прочитайте диалоги вслух. Опишите квартиру и дачу, о которых идёт речь.

Диалог 1

— Кого́ я ви́жу! Лёночка! **Куда́ ты пропа́ла? Звоню́ тебе́, звоню́,** но телефо́н не отвеча́ет.

— Ой, **не спра́шивай.** Мы купи́ли но́вую кварти́ру, де́лали ремо́нт и то́лько неде́лю наза́д перее́хали.

— Здо́рово! Но́вая кварти́ра — э́то всегда́ прия́тно. Вам нра́вится?

— Да, о́чень. **Представля́ешь,** 10 мину́т от метро́, ря́дом — парк, недалеко́ спорти́вный ко́мплекс, кинотеа́тр и **в двух шага́х** — большо́й универса́м.

— **Отли́чно.** Дорога́я?

— Да, не дешёвая. Но что де́лать? К нам перее́хала свекро́вь, а ста́рая кварти́ра така́я ма́ленькая!

— Свекро́вь?! К вам?! Но почему́?

— Она́ уже́ пожила́я, и ей тру́дно жить одно́й. Вот мы и пригласи́ли её к себе́. Да и нам бу́дет ле́гче: она́ мне о́чень помога́ет.

— У неё своя́ ко́мната?

— Да, коне́чно. Ведь мы купи́ли пятико́мнатную кварти́ру. Места́ всем хва́тит: у неё своя́ ко́мната, у до́чки, кабине́т му́жа, спа́льня, больша́я ко́мната, и́ли, как мно́гие говоря́т, гости́ная.

— А ку́хня больша́я?

— Да, огро́мная и с балко́ном.

— **Красота́!** А в како́м райо́не? В новостро́йках?

— Нет. Э́то уже́ не но́вый райо́н. Зна́ешь, где нахо́дится Примо́рский парк? Там постро́или многоэта́жный дом.

— Да, да, да. Я ви́дела э́тот дом. О́чень краси́вый. Ка́жется, но́вый прое́кт.

— Вот в э́том до́ме мы и живём. Приходи́ в го́сти.

— Спаси́бо, приду́ обяза́тельно.

Диалог 2

— Како́е сча́стье — ско́ро о́тпуск! Мы с жено́й реши́ли отдохну́ть в э́том году́ **как сле́дует**.

— А где?

— Купи́ли путёвки на Кана́ры.

— На Кана́ры?

— Да, на Кана́рские острова́. Я давно́ мечта́л там побыва́ть. Представля́ешь: мо́ре, со́лнце, я́хты, удиви́тельная приро́да! Пое́хали с на́ми!

— **Ни за что на све́те!** Я отдыха́ю то́лько на да́че.

— Ну... **Что э́то за о́тдых!**

— Ты не ви́дел мою́ да́чу. Она́ нахо́дится в о́чень краси́вом ме́сте: в двух шага́х от о́зера, ря́дом — сосно́вый лес, во́здух — необыкнове́нный. А дом у меня́ како́й! Двухэта́жный, пять ко́мнат, душ, туале́т, есть вера́нда, во дворе́ — ба́ня. В саду́ виси́т гама́к, под я́блоней поста́вили стол, по вечера́м мы там у́жинаем, пьём чай.

— И не ску́чно?

— Мне **не́когда скуча́ть.** У нас большо́й сад и огоро́д. Я о́чень люблю́ рабо́тать в саду́. Зна́ешь, как прия́тно зимо́й есть свою́ карто́шку, огу́рчики, варе́нье!

— Ну, что же. **Ка́ждому своё.**

Задание 8. Посмотрите на рисунки. Назовите действующих лиц этой истории. Как вы думаете, всегда ли приезд гостей — приятное событие? Задайте друг другу вопросы по каждому рисунку. Составьте, если это возможно, диалоги к каждому рисунку. Расскажите (напишите) на основе рисунков всю историю. Расскажите (напишите) эту историю от лица одного из героев, скажите, как вы поступили бы на его месте. Придумайте название этой истории.

Давайте поговорим!

1. Как вы думаете, где лучше жить: в доме или квартире? Почему?
2. Какой должна быть идеальная квартира?
3. Что значит для человека родной (отчий) дом?
4. В каком районе лучше жить — в новом или в старом?
5. В каком городе вы предпочитаете жить: в большом или маленьком?
6. Какие преимущества имеет жизнь за городом?
7. Как вы представляете себе город будущего?

Повторение — мать учения

*Слова и словосочетания,
которые помогут вам поговорить о доме и квартире*

ОКРА́ИНА
НОВОСТРО́ЙКИ
МНОГОЭТА́ЖНЫЙ (ТРЁХ-, ПЯТИ-...) ДОМ
ТРЁХКО́МНАТНАЯ (ПЯТИ-...) КВАРТИ́РА
ГОСТИ́НАЯ, СПА́ЛЬНЯ, КАБИНЕ́Т, КУ́ХНЯ
О́КНА ВЫХО́ДЯТ *(куда?)*
СТЕ́НКА
МЯ́ГКАЯ МЕ́БЕЛЬ
ТУ́МБОЧКА
КЛАСТЬ/ПОЛОЖИ́ТЬ *(что? куда?)*
СТА́ВИТЬ/ПОСТА́ВИТЬ *(что? куда?)*
ВЕ́ШАТЬ/ПОВЕ́СИТЬ *(что? куда?)*
УБИРА́ТЬ/УБРА́ТЬ *(что? куда?)*
ПЕРЕЕ́ХАТЬ/ПЕРЕЕЗЖА́ТЬ *(куда?)*
БЕСПОРЯ́ДОК
В ДВУХ ШАГА́Х ОТ *(чего?)*
ОГРО́МНЫЙ
ВЕРА́НДА
БА́НЯ
ГАМА́К
ОГОРО́Д

Используя слова, словосочетания и грамматический материал темы, выполните следующие задания.

Задние 1. Напишите максимум определений к словам: *дом, квартира, район, мебель.*

Задание 2. Напишите нужные глаголы:

— Ма́ша, куда́ .... цветы́?
— .... цветы́ в ва́зу.

— Серге́й, куда́ ты .... мой па́спорт?
— Я .... его́ в стол.

— Где .... мои́ уче́бники?
— Ты .... их на окно́.

— Почему́ пальто́ .... на дива́не?
— Э́то Пе́тя .... его́ сюда́. .... , пожа́луйста, в шкаф.

Не .... слова́рь на по́лку. Он всегда́ .... у меня́ на столе́.

— Куда́ .... сыр?
— .... его́ в холоди́льник.

Задание 3. Дайте подробные ответы на следующие вопросы.

— Говоря́т, ты купи́л но́вую кварти́ру. Где?
— ....

— Э́то хоро́ший райо́н?
— ....

— Кака́я у тебя́ кварти́ра?
— ....

— Что ты поста́вил в свой кабине́т?
— ....

— А каку́ю ме́бель ты купи́л в гости́ную?
— ....

— А где же тепе́рь живу́т твои́ роди́тели?
— ....

Александра Маринина — кандидат юридических наук, подполковник милиции. Её имя широко известно российскому читателю, так как она является автором многочисленных детективных романов. «Русская Агата Кристи», как называют её журналисты, продолжает традиции классического детектива, в котором раскрытие преступлений не только интеллектуальная игра, но и попытка противостоять злу в самом широком смысле этого слова.

ТОТ, КТО ЗНАЕТ
(отрывок из романа)

Она с трудом привыкала к простору. Огромная гостиная, большая спальня, уютный кабинет с компьютером и книгами, комната Алёши, комната для гостей, если кто-то останется ночевать. Обставленная встроенной мебелью кухня-столовая. Огромных размеров ванная комната с джакузи, душевой кабиной, массой приятных и полезных устройств. Для гостей — отдельный туалет, в который можно войти из холла. Сколько же денег вложил Андрей в эту квартиру? Даже подумать страшно.

Наташа до сих пор помнила тот шок, в котором она была, когда увидела у подъезда Андрея с грузчиками.

— Что происходит? — спросила она.

— Я переезжаю в этот дом, купил здесь квартиру, на втором этаже, — ответил Ганелин. — Сначала сделаем с тобой ремонт, потом будем здесь жить.

Наташа стояла на улице и не могла сказать ни слова. Наконец она спросила:

— Как это понимать, Андрюша? Что это всё значит?

— Дорогая моя, это значит только одно: я тебя очень люблю, — он слегка улыбнулся. — И я понимаю твою семейную ситуацию. Ты не можешь оставить своих сыновей без присмотра, особенно Алёшу, ему надо в этом году в институт поступать. Ты не можешь оставить свою соседку Бэллу Львовну, потому что ей уже семьдесят восемь лет. Ты не можешь бросить свою беспомощную сестру. И ты должна разрываться между мной и своей семьёй. Вот я и решил: зачем тебе так мучиться? Я буду жить в том же доме, что и ты, и мы все будем рядом, но в то же время отдельно. Ты будешь жить со мной на втором этаже, твоя комната в старой коммунальной квартире освободится, и мальчики смогут, наконец, разделиться. Им уже тесно в одной комнате. Кстати, — добавил он, — я предлагаю, чтобы Алёша жил с нами. Саша — студент, у него уже взрослая жизнь, а Алёше надо очень много заниматься, и будет лучше, если мы будем его контролировать.

Он говорил легко и уверенно.

— Андрюша, я не могу поверить, — сказала Наташа. — Ты приходил сюда, смотрел квартиру и ничего мне не сказал? Я не понимаю, как так можно. Честное слово, не понимаю. Мы с тобой что, чужие?

— Наташенька, дорогая моя, я просто не хотел тебя волновать. У тебя так много работы. Ты только что закончила снимать сериал. Ты же сама все это говорила мне, разве нет?

— Говорила, — ответила Наташа.

— Ну вот видишь. Зачем тебя нервировать? Но согласись, что решение я принял правильное.

— Значит ты хочешь, чтобы я жила на два дома? — сердито начала она. — Мало мне огромной четырёхкомнатной квартиры, которую я должна мыть и убирать и где я должна стирать и готовить на всех, я должна буду убирать и твои хоромы, да? И готовить тебе отдельные обеды и ужины? И отдельно мыть за тобой посуду? Ты хочешь, чтобы я бросила работу и стала домохозяйкой? Это твоя любовь?

Андрей несколько секунд смотрел на неё, потом от души рассмеялся.

— Ну ты даёшь! Тебе сорок три года, Наталья, ты всю жизнь всё делала одна в своей коммуналке и другой жизни не видишь. Ты слышала такое слово: домработница? Нет? Пойди посмотри в словаре. Мы пригласим домработницу, которая будет обслуживать твою старую квартиру.

— Ты и это за меня решил?

— Послушай, не будь упрямой. Ты не можешь до конца дней быть домработницей и экономкой, хватит! Твоё дело — снимать кино, ты сценарист и режиссёр, так и занимайся своим делом. Для чего ты получала два образования?

Несколько дней Наташа ходила и не понимала, что происходит вокруг неё. Но чем больше она думала обо всём, тем больше понимала, что Андрей прав. Пора менять свою жизнь.

(по А. Марининой)

4

МОЙ ДЕНЬ

Задание 1.

Где вы рабо́таете? Кто вы по профе́ссии? Когда́ начина́ется ваш рабо́чий день? А когда́ зака́нчивается? Когда́ вы обы́чно встаёте? А когда́ ложи́тесь спать? Как вы прово́дите выходны́е? Как вы понима́ете выраже́ние *встать чуть свет*?

Обы́чно я встаю́ **без пятна́дцати семь.**

Он ложи́тся спать **о́коло оди́ннадцати.**

Позвони́ мне **часа́ в три.**

До о́тпуска оста́лось три дня.

Во вре́мя рабо́ты он забыва́ет обо всём.

По́сле экску́рсии мы пойдём обе́дать.

Пойдём **куда́-нибудь** ве́чером!

Он быва́л **в ра́зных стра́нах.**

Я встаю́ ра́но, **потому́ что** мой рабо́чий день **начина́ется** в 9 часо́в.

За́втра у него́ тру́дный день, **поэ́тому** он лёг спать ра́но.

Прочитайте текст. Обратите внимание на выделенные конструкции.

В гостя́х у Рамо́на

Ива́н Петро́вич давно́ мечта́л побыва́ть в Испа́нии. И вот он в Барсело́не. В аэропорту́ его́ встре́тили Рамо́н и его́ подру́га Ни́на, и они́ пое́хали к Рамо́ну домо́й.

Р.: Ива́н Петро́вич, как я рад, что вы прие́хали! Чу́вствуйте себя́ как до́ма. Дава́йте поду́маем, что мы бу́дем де́лать за́втра.

И.П.: Рамо́н, я не хочу́ меня́ть ва́ши пла́ны. Ты же зна́ешь, что я мно́го путеше́ствую и прекра́сно ориенти́руюсь **в незнако́мых места́х.** У меня́ есть хоро́ший путеводи́тель, я его́ внима́тельно изучи́л и зна́ю, что мне ну́жно посмотре́ть в Барсело́не. А днём мы мо́жем пообе́дать вме́сте. Что ты де́лаешь за́втра?

Р.: За́втра у меня́ са́мый обы́чный день.

И.П.: Интере́сно, что зна́чит обы́чный день для худо́жника?

Р.: Сейча́с я вам всё расскажу́. Встаю́ я не ра́но, **часо́в в 10—11.** Принима́ю душ, чи́щу зу́бы, бре́юсь, пью ко́фе. И сра́зу **начина́ю рабо́тать** в свое́й мастерско́й. Во вре́мя рабо́ты вре́мя лети́т незаме́тно, иногда́ я да́же забыва́ю пообе́дать. **О́коло шести́** прихо́дит Ни́на, и мы вме́сте у́жинаем. Ве́чером **куда́-нибудь** идём с друзья́ми.

И.П.: Ни́на, а когда́ **начина́ется** ваш **рабо́чий день?**

Н.: Ра́но. Я рабо́таю в туристи́ческой фи́рме. Она́ открыва́ется в **полдевя́того, поэ́тому мне прихо́дится встава́ть в 7 часо́в,** а так хо́чется поспа́ть! Я всегда́ зави́дую Рамо́ну, когда́ собира́юсь на рабо́ту: он спит, а я встаю́, бы́стро принима́ю душ, чи́щу зу́бы, за́втракаю, одева́юсь и бегу́ на метро́. Сла́ва Бо́гу, о́фис нахо́дится недалеко́ от на́шего до́ма, и я тра́чу на доро́гу **мину́т 20—25.**

И.П.: А обе́даете вы до́ма?

Н.: Нет, что вы! Мой обе́денный переры́в тако́й коро́ткий — **с полови́ны пе́рвого до ча́са, поэ́тому я обе́даю в кафе́,** кото́рое нахо́дится недалеко́ от фи́рмы. **В пять часо́в** мой рабо́чий **день конча́ется,** и я иду́ домо́й. Пра́вда, по доро́ге захожу́ в магази́ны, покупа́ю проду́кты для у́жина. Рамо́н так увлека́ется рабо́той, что забыва́ет пое́сть. Я бы́стро гото́влю что́-нибудь вку́сненькое, мы у́жинаем и идём гуля́ть и́ли в го́сти. Вы, наве́рное, зна́ете об э́том испа́нском обы́чае — гуля́ть ве́чером, **поэ́тому мы ложи́мся спать по́здно, о́коло двух.** Я уже́ так привы́кла **куда́-нибудь** ходи́ть по вечера́м! Не представля́ю, что я бу́ду де́лать, когда́ верну́сь домо́й. В Петербу́рге по́сле рабо́ты я ча́ще всего́ сижу́ до́ма.

И.П.: А как же вы прово́дите выходны́е? Наве́рное, никуда́ не хо́дите, **потому́ что гуля́ть уже́ не хо́чется.**

Р.: Нет, что вы! Мы обяза́тельно **куда́-нибудь** идём. У меня́ так мно́го друзе́й! Мы ча́сто с ни́ми встреча́емся, хо́дим в теа́тры, музе́и. Барсело́на, как и Петербу́рг, настоя́щий музе́й под откры́тым не́бом.

И.П.: Да, я э́то зна́ю. Вот и я бу́ду ходи́ть в музе́и, броди́ть по у́лицам, смотре́ть, слу́шать и любова́ться э́тим прекра́сным го́родом. А ве́чером бу́ду расска́зывать вам, где побыва́л и что ви́дел. Хорошо́?

Р.: Коне́чно, но то́лько ве́чером и в выходны́е мы не дади́м вам поко́я. Бу́дете гуля́ть вме́сте с на́ми, а спать бу́дете до́ма, в Петербу́рге. Договори́лись?

И.П.: Договори́лись!

Отве́тьте на вопро́сы.

1. Куда́ и к кому́ прие́хал Ива́н Петро́вич?
2. Что узна́л Ива́н Петро́вич об обы́чном дне Рамо́на? Когда́ Рамо́н встаёт?
3. Что он де́лает до рабо́ты?
4. А что рассказа́ла ему́ о своём дне Ни́на? Когда́ она́ встаёт?
5. Когда́ начина́ется её рабо́чий день?
6. Ско́лько вре́мени она́ тра́тит на доро́гу?
7. Когда́ у неё обе́денный переры́в?
8. Когда́ конча́ется её рабо́чий день?
9. Когда́ Ни́на и Рамо́н ложа́тся спать?
10. Как они́ прово́дят свобо́дное вре́мя?

Кто? Что?	*Где? О ком? О чём?*
арти́сты, де́вушки	об арти́ст*ах*, о де́вушк*ах*
преподава́тели	о преподава́тел*ях*
музе́и	в музе́*ях*, о музе́*ях*
о́кна	на о́кн*ах*
моря́	в мор*ях*
ко́мнаты	в ко́мнат*ах*
аудито́р**ии**	в аудито́ри*ях*

Какие?	*В/на каких? О каких?*
молод**ы́е** (**на́ши**) арти́сты	о молод**ы́х** (**на́ших**) арти́стах
высо́к**ие** зда́ния	в высо́к**их** зда́ниях
ле́тн**ие** кани́кулы	на ле́тн**их** кани́кулах

Упражнение 1. Ответьте на вопросы, используя слова, данные справа.

1. Где живу́т ва́ши друзья́?	ра́зные города́ и стра́ны
2. В каки́х теа́трах бы́ли тури́сты?	драмати́ческие и о́перные теа́тры
3. В каки́х магази́нах вы покупа́ете кни́ги?	кни́жные магази́ны
4. О чём пи́шут сего́дняшние газе́ты?	после́дние полити́ческие собы́тия
5. О каки́х писа́телях вы слу́шали ле́кцию?	изве́стные ру́сские писа́тели
6. О чём вы расска́зывали друзья́м?	свои́ увлече́ния
7. О ком э́та переда́ча?	францу́зские худо́жники

За́втра я вста́ну в 7 часо́в.
Сего́дня я ля́гу спать ра́но.

Я вста́ну	**Я ля́гу**
Ты вста́нешь...	**Ты ля́жешь...**
Они вста́нут	**Они ля́гут**

Это вы по́мните! (Жили-были, с. 90)

Я встаю́, ложу́сь...   Он встал, лёг... и т. д.
Ты встаёшь, ложи́шься... и т. д.

Встава́й! Встава́йте!
Ложи́сь! Ложи́тесь!

Упражнение 2. Раскройте скобки.

1. Татья́на обы́чно (встава́ть — встать) в 9 часо́в, а сего́дня она́ (встава́ть — встать) в 6. 2. Сего́дня я приду́ с рабо́ты и сра́зу (ложи́ться — лечь) спать, потому́ что пло́хо себя́ чу́вствую. 3. (Встава́ть — встать), уже́ 8 часо́в! 4. Я никогда́ не (ложи́ться — лечь) ра́но. 5. Вчера́ мы (ложи́ться — лечь) в 12 часо́в. 6. (Ложи́ться — лечь) спать, уже́ по́здно! 7. Ты ка́ждый день (ложи́ться — лечь) так по́здно? 8. За́втра мне ну́жно (встава́ть — встать) о́чень ра́но. 9. В воскресе́нье я (встава́ть — встать) в 7 часо́в и пое́ду в аэропо́рт встреча́ть бра́та. 10. За́втра воскресе́нье, и мы мо́жем (встава́ть — встать) часо́в в 10.

Два́дцать пять мину́т второ́го.

Без десяти́ (мину́т) четы́ре.

Упражнение 3. Напишите цифрами, сколько времени:

де́сять мину́т девя́того ....

без пятна́дцати шесть ....

полпя́того, без двадцати́ де́вять ....

без двух мину́т три, че́тверть второ́го ....

оди́ннадцать часо́в ро́вно ....

два́дцать пять мину́т восьмо́го ....

без десяти́ час ....

пять мину́т пе́рвого ....

без двадцати́ пяти́ семь ....

без че́тверти четы́ре ....

полови́на тре́тьего ....

пятна́дцать мину́т шесто́го ....

Упражнение 4. Скажите, сколько времени:

2.05	4.20	9.45	11.25	3.35	12.30	6.40
9.10	12.00	22.17	7.55	21.30	5.15	23.50

Серге́й начина́ет рабо́тать в 9.

Спекта́кль начина́ется в семь часо́в.

Мы продолжа́ем изуча́ть ру́сский язы́к.

Уро́к продолжа́ется 45 мину́т.

А́ня конча́ет рабо́тать в шесть часо́в.

Фильм ко́нчился о́чень по́здно.

Начина́ть(-ся) / нача́ть(-ся)

Продолжа́ть(-ся) — продо́лжить(-ся)

Конча́ть(-ся) — ко́нчить(-ся)

Упражнение 5. Вместо точек напишите глаголы *начина́ть — начина́ться,* *продолжа́ть — продолжа́ться, конча́ть — конча́ться* **в нужной форме.**

1. Рамо́н .... изуча́ть ру́сский язы́к 5 лет наза́д. 2. Ско́лько вре́мени .... ваш рабо́чий день? 3. Спекта́кли в петербу́ргских теа́трах .... в 7 часо́в, а .... о́коло 11. 4. Ире́на .... чита́ть текст, Си́рпа ...., а Том .... 5. Юра .... шко́лу в 1985 году́. 6. Ле́на пришла́ с рабо́ты и сра́зу .... гото́вить у́жин. 7. Когда́ вчера́ .... футбо́л? 8. Чемпиона́т ми́ра по футбо́лу ещё ....

Упражнение 6. а) Посмотрите телевизионную программу, скажите, когда начинаются, сколько продолжаются и когда кончаются передачи. Как вы думаете, о чём эти передачи?

7.00. Новости.	13.45. «Михаил Горбачёв. После империи» — документальный фильм.
7.15. «Соседи» — художественный фильм.	
8.45. Вкусные истории.	14.45. Здоровье.
9.00. Музыка из Петербурга.	15.15. Вокруг света.
9.45. Мультфильмы.	16.50. Фильм детям. «Золушка».
10.00. Новости.	18.50. Телеигра «Кто хочет стать миллионером?»
10.10. Спорт-экспресс.	
10.40. «Санта-Барбара» — сериал.	19.55. Смехопанорама.
11.05. Ваш сад.	20.45. Спокойной ночи, малыши!
11.35. Галерея искусств.	21.00. Время.
11.55. В мире животных.	21.50. «Дневник его жены» — художественный фильм.
12.30. Футбольная Европа.	
13.00. Человек и закон.	00.00. Ночные новости.

б) Расскажите о наиболее популярных передачах в вашей стране.

Упражнение 7. а) Вместо точек вставьте союзы *потому что* или *поэтому*.

1. Мы остáлись дóма, ... пошёл дождь.
2. Я проснýлся пóздно,... опоздáл на рабóту.
3. Он вы́ключил телеви́зор, ... óчень хотéл спать.
4. Бы́ло жáрко, ... онá откры́ла окнó.
5. Они́ изучáют рýсский язы́к, ... хотя́т читáть рýсскую клáссику в оригинáле.
6. Тури́сты óчень устáли, ... не пошли́ на экскýрсию.
7. Отéц забы́л дóма ключи́ от óфиса, ... вернýлся домóй.
8. Мои́ друзья́ óчень лю́бят мýзыку, ... чáсто хóдят в филармóнию.
9. Я заснýл пóздно, ... дóлго читáл.

б) Измените предложения так, чтобы вместо конструкций причины получились конструкции следствия и наоборот.

Тебé ктó-то звони́л. = Я не знáю кто.

Он кудá-то ушёл. = Я не знáю кудá.

Я егó гдé-то ви́дел. = Я не знáю где.

Расскажи́ чтó-нибудь интерéсное. = Невáжно что.

Ктó-нибудь из вас говори́т по-немéцки. = Невáжно кто.

Упражнение 8. Выберите правильный вариант: *-то* или *-нибудь*?

1. Нáдо купи́ть что-... на зáвтрак. 2. Ты говори́л кому-... об э́том? 3. Мы с вáми где-... встречáлись. 4. За столóм сидéл человéк и что-... писáл. 5. Ни́на кудá-... уéхала. 6. У тебя́ что -... боли́т? 7. Ты ужé познакóмился с кем-...? 8. Ты что-... ел сегóдня? 9. Вы знáете когó- ... из э́тих людéй? 10. На столé лежáл чей-... словáрь. 11. Давáй кýпим какóй-... сок.

Готовимся к разговору

Задание 1. Составьте предложения в соответствии с данными ситуациями, используя изученные конструкции.

1. Вы хотите взять почитать у знакомого книгу, любую. Как вы попросите?
2. К вашему другу приходил человек, который не представился. Как вы ему скажете об этом?

3. Ваш друг ничего не говорил, но вам показалось, что он задал вам вопрос. Как вы будете реагировать?

4. На улице вас спросили, как доехать до центра. Туда идут все автобусы. Скажите об этом.

5. Как спросить, был ли человек раньше в России?

6. Вы хотите почитать английские журналы, любые. Как вы спросите об этом в библиотеке?

7. Ваш друг идёт в магазин. Как вы попросите его купить вам минеральную воду, пепси-колу или другой напиток?

8. Ваш друг уехал из Петербурга, а вы не знаете куда. Как вы скажете об этом?

Задание 2. Составьте диалоги на основе предложенных ситуаций. Максимально используйте конструкции времени.

1. В ваш родной город на один день приезжают друзья. Предложите им программу на этот день.

2. Вы хотите поехать за город. Ваш друг предложил встретиться на вокзале в 8 часов, но вы думаете, что это очень рано.

3. Вы опоздали на концерт. Объясните вашим друзьям причину опоздания.

Задание 3. Как Вы понимаете следующие выражения: *экза́мены на носу́, ле́то не за гора́ми, дорога́ ло́жка к обе́ду*? **В каких ситуациях их можно использовать?**

Задание 4. Уточните время.

Модель: — Приходи́ ко мне за́втра часо́в в 5.
   — Хорошо́. Я приду́ де́сять мину́т шесто́го.

1. Твой самолёт прилета́ет о́коло десяти́?

2. Уро́ки конча́ются часа́ в три?

3. Оте́ц вы́шел из до́ма о́коло восьми́?

4. Ма́ша вчера́ пришла́ домо́й о́коло оди́ннадцати?

5. Ты мо́жешь позвони́ть мне часо́в в семь?

6. У тебя́ есть расписа́ние автобусов? Нам ну́жно вы́ехать из Петербу́рга часо́в в во́семь.

7. Мне ка́жется, э́тот фильм начнётся о́коло девяти́.

8. Дава́й встре́тимся в суббо́ту часа́ в три.

Задание 5. а) Прочитайте диалог про себя. Прослушайте его в записи. Прочитайте его вслух. Расскажите, что вы узнали о Марине и её режиме дня.

Диалог 1

— А́ня, ты не забы́ла, что мы сего́дня идём в го́сти?

— Сего́дня? Ой, я абсолю́тно забы́ла и обеща́ла ве́чером пойти́ к Мари́не.

— **А кто така́я Мари́на?**

— Я же тебе́ **сто раз говори́ла** — э́то моя́ шко́льная подру́га. Она́ актри́са, поёт в о́пере и поэ́тому рабо́тает по вечера́м. Спекта́кли начина́ются в 7 и конча́ются часо́в в 11.

— Когда́ же она́ возвраща́ется домо́й?

— О́коло 12.

— Ну, кто́-то ведь сиди́т ве́чером с её ребёнком?

— Не кто́-то, а муж. Про́сто сейча́с он в командиро́вке.

— Когда́ же ты должна́ быть у неё?

— Обы́чно она́ выхо́дит из до́ма часо́в в 11–11.30 утра́, так как днём у неё репети́ции, пото́м часа́ в 4 возвраща́ется домо́й и к спекта́клю опя́ть бежи́т в теа́тр. Но сего́дня спекта́кля нет, поэ́тому я приду́ к ней в 6.

— **Так** она́, наве́рное, **ужа́сно** устаёт?

— Коне́чно. А сейча́с, когда́ у неё ма́ленький ребёнок, ей осо́бенно тру́дно. Ну, что же де́лать! Она́ **не мо́жет жить без теа́тра.**

б) Прочитайте диалог про себя. Прослушайте его в записи. Прочитайте его вслух. Согласны ли вы, что телевизор вообще можно не смотреть? Расскажите, как вы относитесь к современному телевидению.

Диалог 2

— Ты смотре́л вчера́ америка́нский фильм?

— **Ещё чего́!** Я вообще́ не смотрю́ телеви́зор.

— А почему́?

— Да потому́ что сейча́с по телеви́зору пока́зывают **вся́кую ерунду́.** Сериа́лы, боевики́, фи́льмы у́жасов, ка́ждые пять мину́т рекла́ма. Где хоро́шие фи́льмы и серьёзные аналити́ческие програ́ммы?

— Я то́же не телема́н. Но иногда́ хо́чется про́сто отдохну́ть. Ведь прия́тно посмотре́ть лёгкую коме́дию и́ли развлека́тельную програ́мму. А но́вости? Интере́сно же знать, что происхо́дит в ми́ре.

— Для э́того есть газе́ты.

— А мне ка́жется, получа́ть информа́цию **по телеви́зору** интере́снее и быстре́е. Кро́ме того́, ра́зные програ́ммы адресо́ваны ра́зным лю́дям. Наприме́р, мои́ пожилы́е роди́тели о́чень лю́бят сериа́лы, а твоего́ бра́та **не оторва́ть от** спорти́вных переда́ч.

— **На вкус и цвет това́рища нет.** А у меня́ на э́то нет вре́мени. Вокру́г сто́лько интере́сного!

Зада́ние 6. Посмотри́те на рису́нки. Назови́те де́йствующих лиц э́той исто́рии. Как вы по́няли, почему́ де́вушка опозда́ла на рабо́ту? Зада́йте друг дру́гу вопро́сы по ка́ждому рису́нку. Соста́вьте, где э́то возмо́жно, диало́ги. Расскажи́те (напиши́те) на осно́ве рису́нков всю исто́рию. Приду́майте назва́ние э́той исто́рии.

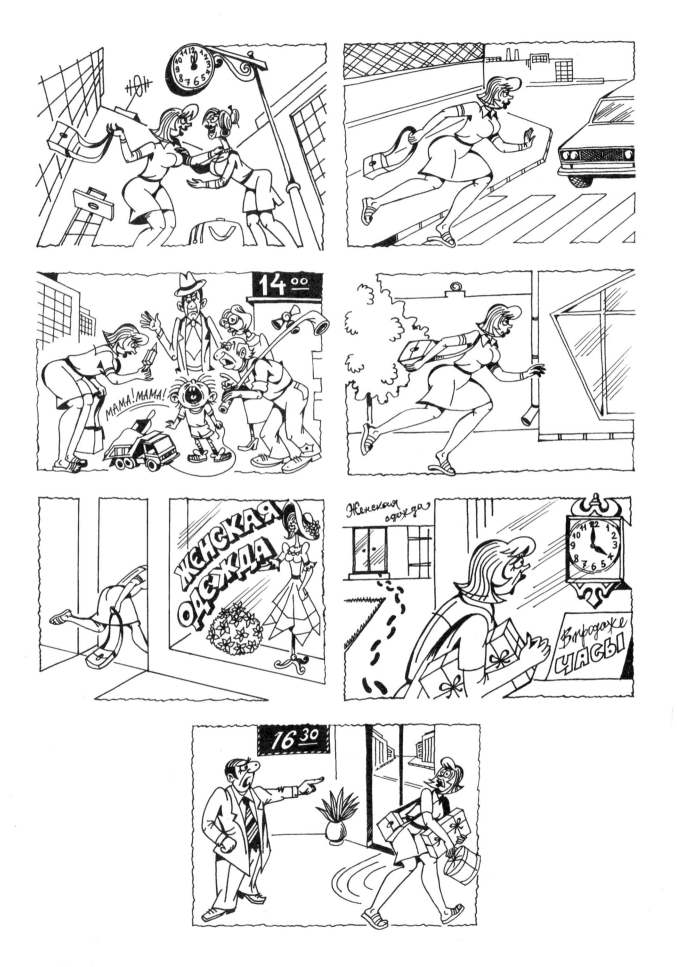

Давайте поговорим

1. Как вы понимаете русскую поговорку: «Де́лу — вре́мя, поте́хе — час»? Согласны ли вы с этим?

2. Говорят, что одни люди — «совы», другие — «жаворонки». А кто вы? Как вы думаете, кому легче организовать свой день?

3. Не кажется ли вам, что современный человек слишком много времени проводит у телевизора?

4. Как вы относитесь к телевизионной рекламе?

5. Напишите идеальную, на ваш взгляд, телевизионную программу на выходной день.

Повторение — мать учения

Слова и словосочетания,
которые помогут вам рассказать о своем режиме дня

РАБО́ЧИЙ, ВЫХОДНО́Й ДЕНЬ
ПРОВОДИ́ТЬ/ПРОВЕСТИ́ ВЫХОДНЫ́Е
НАЧИНА́ТЬ(-СЯ)/ НАЧА́ТЬ(-СЯ)
ПРОДОЛЖА́ТЬ(-СЯ)/ПРОДО́ЛЖИТЬ(-СЯ)
КОНЧА́ТЬ(-СЯ) / КО́НЧИТЬ(-СЯ)
ЗАКА́НЧИВАТЬ(-СЯ)/ЗАКО́НЧИТЬ(-СЯ)
ВСТАВА́ТЬ/ВСТАТЬ
ЛОЖИ́ТЬСЯ/ЛЕЧЬ
СОБИРА́ТЬСЯ/СОБРА́ТЬСЯ НА РАБО́ТУ
ПРИНИМА́ТЬ/ПРИНЯ́ТЬ ДУШ, ВА́ННУ
ЧИ́СТИТЬ/ПОЧИ́СТИТЬ ЗУ́БЫ
БРИ́ТЬСЯ/ПОБРИ́ТЬСЯ
ВЫХОДИ́ТЬ/ВЫ́ЙТИ ИЗ ДО́МА (*когда? во сколько?*)
ТРА́ТИТЬ/ПОТРА́ТИТЬ НА ДОРО́ГУ (*сколько времени?*)
ОБЕ́ДЕННЫЙ ПЕРЕРЫ́В
ЗАХОДИ́ТЬ/ЗАЙТИ́ ПО́СЛЕ РАБО́ТЫ (*куда?*)
ВОЗВРАЩА́ТЬСЯ/ВОЗВРАТИ́ТЬСЯ ДОМО́Й
ИДТИ́, ХОДИ́ТЬ В ГО́СТИ, БЫТЬ В ГОСТЯ́Х
ПО ТЕЛЕВИ́ЗОРУ (РА́ДИО)

Задание 1. Прочитайте текст, обратите внимание на выражение времени. Придумайте предложения с конструкциями «неточного времени».

Поговори́м о вре́мени!

Всегда́ ли мы должны́ знать то́чное вре́мя? Ведь на́ша обы́чная жизнь не регламенти́рована так, как, наприме́р, рабо́та желе́зной доро́ги и́ли косми́ческого корабля́. Челове́к не мо́жет плани́ровать всё с то́чностью до мину́ты. Да э́то и не ну́жно: э́то то́лько сде́лает на́шу жизнь бо́лее тру́дной и ме́нее свобо́дной. Е́сли я прошу́ своего́ дру́га позвони́ть мне ве́чером по́сле рабо́ты, то, коне́чно, я не говорю́: «Позвони́ мне, пожа́луйста, в 18.01». Я выбира́ю таку́ю языкову́ю фо́рму, кото́рая даст ему́ возмо́жность сде́лать э́то в удо́бное для него́ вре́мя. Что же мо́жно сказа́ть в тако́й ситуа́ции?

Ру́сский язы́к о́чень бога́т, и поэ́тому мы всегда́ мо́жем найти́ в нём ну́жные слова́ и фра́зы. В слу́чае, о кото́ром мы то́лько что прочита́ли, ру́сский челове́к ска́жет: «Позвони́ мне, пожа́луйста, по́сле шести́». Э́то зна́чит, что в шесть я уже́ приду́ с рабо́ты, весь ве́чер бу́ду до́ма и могу́ поговори́ть по телефо́ну в любо́е вре́мя.

Иногда́ мы говори́м: «Уже́ седьмо́й час». Эта фо́рмула означа́ет, что больша́я стре́лка на на́ших часа́х перешла́ ци́фру 12. Но здесь есть специ́фика: седьмо́й час — э́то 18.05, 18.10, ма́ксимум 18.15. В 18.20 мы уже́ назовём то́чное вре́мя и́ли ска́жем: «Почти́ полседьмо́го». Если мы слы́шим фра́зу: *Та́ня пришла́ о́коло десяти́*, мы понима́ем, что на часа́х в э́то вре́мя бы́ло 21.45, 21.50, 21.55 и́ли 22.05, 22.10. То же са́мое означа́ет выраже́ние *часо́в в де́сять*. *Я встаю́ в нача́ле восьмо́го*. Как э́то понима́ть? Э́то зна́чит, что в э́то вре́мя на мои́х часа́х 7.05, 7.10 и́ли 7.15.

Все э́ти выраже́ния о́чень акти́вны в ру́сском языке́. Если вы запо́мните, что они́ зна́чат, вы бу́дете лу́чше понима́ть ру́сских и бо́лее свобо́дно говори́ть по-ру́сски.

Задание 2. Напишите вместо точек нужный глагол (возможны варианты).

1. Спекта́кли в петербу́ргских теа́трах .... в 19.00. 2. В университе́те .... рабо́ту нау́чная конфере́нция «Ру́сский язы́к на рубеже́ тысячеле́тий». 3. Зи́мние кани́кулы .... 14 дней. 4. Как жаль, что .... ле́то. 5. Когда́ .... твой рабо́чий день? 6. Осе́нний семе́стр в университе́тах Петербу́рга .... 1 сентября́ и .... в середи́не декабря́.

Задание 3. Закончите предложения.

1. Дай мне что́-нибудь ....
2. Да́вай куда́-нибудь ....
3. Я слы́шала, что Ма́ша где́-то ....
4. Серге́й почему́-то ....
5. В аудито́рии кто́-то ....
6. Нам ну́жно где́-нибудь ....

Внеклассное чтение

Алексей Дмитриевич Шмелев — доктор филологических наук, профессор Московского педагогического государственного университета.

МОЖНО ЛИ ПОНЯТЬ РУССКУЮ КУЛЬТУРУ ЧЕРЕЗ КЛЮЧЕВЫЕ СЛОВА РУССКОГО ЯЗЫКА?

Прежде чем ответить на этот вопрос, необходимо сказать, что речь здесь идёт не обо всей русской культуре, а о представлениях о мире людей, для которых русский язык является родным. Эти представления отражаются в языке, и поэтому, изучая тот или иной язык, человек одновременно формирует тот или иной взгляд на мир.

Иллюстрацией могут быть русские слова *утро, день, вечер, ночь*. На первый взгляд, все они имеют эквивалент в основных западных языках (например, для слова *утро* — английское слово morning, французское matin, немецкое Morgen и т.д.). Но на самом деле этой эквивалентности нет, так как в русском языке сутки делятся на периоды по другим принципам, чем в западных языках.

В западном представлении использование слов *утро, день, вечер* и *ночь* зависит от «объективного» времени. Большое значение поэтому приобретают понятия *полночь* и особенно *полдень*, которое отмечает самую важную часть суток – время для работы. Не случайно в западных языках есть специальное слово для названия второй половины рабочего дня (afternoon, apresmidi, Nachmittag и т.д.). В русском представлении понятия *утро, день, вечер* и *ночь* больше зависят от того, что человек делает в это время (в западном представлении скорее наоборот: посмотрев на часы, человек знает, что ему нужно делать). То есть если в западных языках *утро* — это время до 12 часов дня, то для русских *утро* — это время, когда человек встал и только готовится к своей дневной деятельности (умывается, одевается, завтракает).

Эти различия могут помешать взаимопониманию в процессах межкультурной коммуникации. Например, в западных языках можно говорить о двух часах и даже о часе утра (one, two in the morning; une heure, deux heures du matin). Это очень удивительно для русских, так как *утро* для них — это время, когда человек встаёт, а если человек не спит в час или два часа ночи, то это скорее значит, что он ещё не лёг.

Что же можно сказать о представлении о времени у русских? Мы говорим *день* о времени, когда люди работают, мы говорим *ночь* о времени, когда люди спят. Когда человек встаёт, наступает *утро*, в процессе которого человек готовится к дневной деятельности. Когда дневная деятельность заканчивается, наступает *вечер*, который длится, пока люди не ложатся спать. Это значит, что *утро* в русской традиции противопоставлено не «послеполудню», как в западной, а вечеру. Если мы обычно называем первую половину дня — *утро*, то вторая автоматически называется *вечер*. Именно поэтому о враче, который принимает больных в поликлинике, мы говорим, что иногда он работает *утром* (с 9.00 до 14.00), а иногда *вечером* (с 14.00 до 19.00). Это очень удивляет иностранцев, так как, с западной точки зрения, трудно назвать вечером время, которое наступает сразу после обеда.

Различия есть и в формулах речевого этикета. Русских удивляет, что человек западной культуры может сказать *Доброе утро!*, когда рабочий день уже давно начался и скоро обеденный перерыв. Для них эта формула нормальна только сразу после того, как они встали. Такой же странной кажется и фраза *Have a good night* при прощании после рабочего дня: *ночь* начинается для русских только тогда, когда человек лёг в кровать.

Анализ таких различий не только поможет объяснить, почему русские обращаются со временем более свободно, чем жители Западной Европы, но также может стать основой взаимопонимания людей разных культур.

(по А.Д. Шмелеву)

5

ГОРОД

Задание 1.

Расскажи́те, что вы зна́ете о Петербу́рге. Кто и когда́ основа́л э́тот го́род? Как он называ́лся ра́ньше? Ско́лько жи́телей в Петербу́рге? Каки́е достопримеча́тельности вы зна́ете? Почему́ Петербу́рг называ́ют Се́верной Вене́цией? Каки́е изве́стные лю́ди жи́ли в Петербу́рге? Как вы понима́ете выраже́ние *Петербу́рг — культу́рная столи́ца Росси́и?*

Ле́тний сад — **са́мый ста́рый** парк го́рода.

Го́род дожде́й и тума́нов.

Как называ́ется э́тот парк?

Петербу́рг — **оди́н из крупне́йших** нау́чных це́нтров Росси́и.

Я пришёл в Ру́сский музе́й, **что́бы посмотре́ть** стари́нные ико́ны.

Я хочу́, **что́бы ты** то́же **пое́хал** в Петербу́рг.

Прочитайте текст.

О Петербу́рге

Ива́н Петро́вич осма́тривает Барсело́ну, а Ире́на с гру́ппой тури́стов прие́хала в Санкт-Петербу́рг. Они́ останови́лись в гости́нице «Асто́рия», кото́рая нахо́дится на Исаа́киевской пло́щади. За́втра у них пе́рвая экску́рсия, и Ире́на реши́ла немно́го рассказа́ть о Петербу́рге, **что́бы познако́мить** свою́ гру́ппу с го́родом. Вот её расска́з.

— Петербу́рг — Петрогра́д — Ленингра́д — и сно́ва Петербу́рг — э́ти назва́ния го́рода мно́го говоря́т о его́ исто́рии. Он был осно́ван в 1703 году́. Пётр I реши́л постро́ить но́вую столи́цу на берегу́ Балти́йского мо́ря, **что́бы «в Евро́пу прору́бить** окно́», как сказа́л А.С. Пу́шкин. Петербу́рг бы́стро рос, развива́лся и стал одни́м **из кру́пных** промы́шленных, торго́вых, нау́чных и культу́рных це́нтров Росси́и.

Петербу́рг располо́жен на **берега́х Невы́ и Фи́нского зали́ва**, на сорока́ двух острова́х. В го́роде шестьдеся́т пять рек и кана́лов и бо́лее трёхсот мосто́в. Как прия́тно гуля́ть по **на́бережным Невы́, Фонта́нки и Мо́йки** в бе́лые но́чи! Вы когда́-нибудь слы́шали о бе́лых ноча́х? Э́то осо́бенность Петербу́рга. С 11 ию́ня по 2 ию́ля но́чью в го́роде почти́ так же светло́, как днём.

Города́ как лю́ди. У ка́ждого своя́ судьба́, свой хара́ктер, своё лицо́. О жи́зни и **исто́рии го́рода** расска́зывают его́ достопримеча́тельности. Во всём ми́ре изве́стны Эрмита́ж и Ру́сский музе́й, Петропа́вловская кре́пость и Исаа́киевский собо́р, **музе́и Пу́шкина и Достое́вского**... Гла́вная у́лица Петербу́рга **называ́ется** Не́вский проспе́кт, э́то центр жи́зни го́рода. На Не́вском проспе́кте нахо́дятся музе́и, теа́тры и конце́ртные за́лы, кинотеа́тры и библиоте́ки, универма́ги, кафе́ и рестора́ны. Он начина́ется от Адмиралте́йства и конча́ется о́коло Алекса́ндро-Не́вской ла́вры. На нём всегда́ шу́мно и многолю́дно.

Кста́ти, когда́ вы бу́дете броди́ть по го́роду, не забу́дьте взять с собо́й зонт. Петербу́рг — э́то **го́род дожде́й и тума́нов**. Кли́мат здесь вла́жный, морско́й. В любу́ю мину́ту мо́жет пойти́ дождь и поду́ть холо́дный ве́тер.

Петербу́ржцы лю́бят гуля́ть в Ле́тнем саду́ — **са́мом ста́ром** па́рке го́рода. Э́то был **са́мый пе́рвый и са́мый краси́вый** парк столи́цы. Здесь среди́ дере́вьев, кото́рые по́мнят Петра́ I, стоя́т **ста́туи италья́нских мастеро́в** нача́ла 18 ве́ка.

Все тури́сты обяза́тельно посеща́ют знамени́тые при́городы. **Я** то́же **хочу́, что́бы вы посмотре́ли** Пу́шкин и Па́вловск, где нахо́дятся **са́мые краси́вые** дворцы́ и па́рки, Петродворе́ц с его́ фонта́нами и тени́стыми алле́ями.

Петербу́рг — **оди́н из гла́вных геро́ев ру́сской литерату́ры**. О нём писа́ли Пу́шкин, Блок, Го́голь, Достое́вский и мно́гие други́е **худо́жники сло́ва**. Нельзя́ не вспо́мнить изве́стные пу́шкинские стро́ки:

> Люблю́ тебя́, Петра́ творе́нье,
> Люблю́ твой стро́гий, стро́йный вид,
> Невы́ держа́вное тече́нье,

Береговóй её гранúт,
Твоúх огрáд узóр чугýнный,
Твоúх задýмчивых ночéй
Прозрáчный сýмрак, блеск безлýнный,
Когдá я в кóмнате моéй
Пишý, читáю без лампáды,
И я́сны спя́щие громáды
Пусты́нных ýлиц, и светлá
Адмиралтéйская иглá.

Ответьте на вопросы:

1. Когдá и кем был оснóван Петербýрг?
2. Где Пётр I пострóил нóвую столúцу?
3. Почемý царь вы́брал э́то мéсто?
4. Что такóе *бéлые нóчи*?
5. Скóлько врéмени онú продолжáются?
6. Что вы узнáли о Нéвском проспéкте?
7. Как называ́ется старéйший парк гóрода?
8. Какúе прúгороды вам извéстны?

Кто? Что?	*Кого? Чего?*
стол — столы́	столóв
музéй — музéи	музéев
брат — брáтья	брáтьев
врач — врачú	врачéй
словáрь — словарú	словарéй
друг — друзья́	друзéй
окнó — óкна	óкон
письмó — пúсьма	пúсем
мóре — моря́	морéй
здáние — здáния	здáний
кóмната — кóмнаты	кóмнат
библиотéка — библиотéки	библиотéк
сýмка — сýмки	сýмок
рýчка — рýчки	рýчек
тетрáдь — тетрáди	тетрáдей
аудитóрия — аудитóрии	аудитóрий

Какие?	Каких?
но́вые широ́кие проспе́кты совреме́нные высо́кие зда́ния стари́нные у́зкие у́лицы	но́вых широ́ких проспе́ктов совреме́нных высо́ких зда́ний стари́нных у́зких у́лиц

Упражнение 1. Ответьте на вопросы, используя слова, данные справа.

1. На како́й вы́ставке вы бы́ли вчера́?	совреме́нные францу́зские худо́жники
2. Каку́ю му́зыку вы лю́бите?	неме́цкие компози́торы
3. Каки́е рома́ны вы чита́ете?	ру́сские писа́тели
4. Чья э́то фотогра́фия?	мои́ роди́тели
5. Отку́да вы привезли́ э́ти сувени́ры?	ра́зные стра́ны
6. Каки́е докла́ды вы слу́шали на конфере́нции?	молоды́е учёные
7. У кого́ вы бы́ли вчера́ в гостя́х?	ста́рые друзья́

Упражнение 2. Раскройте скобки.

1. В на́шем го́роде мно́го (истори́ческие па́мятники). 2. В э́том те́ксте нет (незнако́мые слова́). 3. Ско́лько (иностра́нные языки́) вы зна́ете? 4. В ва́шем те́сте ма́ло (граммати́ческие оши́бки). 5. В на́шей библиоте́ке мно́го (интере́сные кни́ги). 6. Э́то дом (мои́ хоро́шие друзья́). 7. На на́шей у́лице не́сколько (стари́нные зда́ния). 8. Петербу́рг — го́род (бе́лые но́чи). 9. В Петербу́рге пять (железнодоро́жные вокза́лы). 10. В го́роде 68 (больши́е и ма́ленькие ре́ки). 11. Сре́дняя температу́ра ию́ня 17 (гра́дусы), а января́ —7 (гра́дусы). 12. У́лицы и пло́щади го́рода со́зданы по прое́ктам (вели́кие архите́кторы). 13. Моско́вский проспе́кт — оди́н из (са́мые дли́нные проспе́кты) ми́ра.

Эрмитаж — один из самых известных музеев мира.

Волга — одна из самых больших рек России.

Байкал — одно из самых красивых озёр Сибири.

Упражнение 3. Измените словосочетания по модели.

Модель: са́мый краси́вый проспе́кт — оди́н из са́мых краси́вых проспе́ктов

Са́мая интере́сная вы́ставка; са́мое высо́кое зда́ние; са́мый ста́рый университе́т; са́мые серьёзные пробле́мы; са́мый бли́зкий магази́н; са́мый у́мный челове́к; са́мый вку́сный торт; са́мая дли́нная доро́га; са́мое тру́дное упражне́ние.

Как зовут вашего отца?

Как называется этот остров?

Упражнение 4. Вместо точек вставьте глагол *звать* или *называться*. Ответьте на эти вопросы.

1. Как .... вашу маму?
2. Как .... главная улица вашего города?
3. Как .... президента России?
4. Как .... Пушкина?
5. Как .... река в Петербурге? А в Москве?
6. Как .... самый большой музей Петербурга?
7. Как .... вашу собаку?
8. Как .... аэропорт в Петербурге?

ЗА ЧЕМ Мари́на идёт в апте́ку?

Она́ идёт в апте́ку ЗА АСПИРИ́НОМ.

ЗАЧЕ́М студе́нты прие́хали в Петербу́рг?

Они́ прие́хали в Петербу́рг, ЧТО́БЫ ИЗУЧА́ТЬ ру́сский язы́к.

ЗАЧЕ́М Ле́на ходи́ла к Ви́ктору?

Ле́на ходи́ла к Ви́ктору, ЧТО́БЫ *он* ПОМО́Г ей перевести́ текст.

Упражнение 5. Выполните упражнение по модели:

Модель: Ве́ра идёт в магази́н, что́бы купи́ть хлеб.
— Ве́ра идёт в магази́н за хле́бом.

1. Серге́й ходи́л в библиоте́ку, что́бы взять слова́рь.
2. Мы идём в Гости́ный Двор, что́бы купи́ть сувени́ры.
3. Ба́бушка ходи́ла в магази́н, что́бы купи́ть ры́бу.
4. Вчера́ ко мне приходи́л Том, что́бы взять уче́бник.
5. И́нна е́здила в ко́нсульство, что́бы получи́ть ви́зу.
6. Начался́ дождь, и я верну́лся домо́й, что́бы взять зонт.
7. Мне ну́жно в апте́ку, что́бы купи́ть витами́ны.
8. Я иду́ в театра́льную ка́ссу, что́бы купи́ть биле́ты на но́вый спекта́кль.

Упражнение 6. Закончите предложения, используя конструкции с союзом чтобы.

1. Ире́на позвони́ла Ива́ну Петро́вичу, чтобы...
   Ире́на позвони́ла Ива́ну Петро́вичу, чтобы он...

2. Том пришёл к Рамо́ну, чтобы...
   Том пришёл к Рамо́ну, чтобы он...

3. Светла́на ходи́ла к подру́ге, чтобы...
   Светла́на ходи́ла к подру́ге, чтобы она́...

4. Я купи́л откры́тки, чтобы...
   Я купи́л откры́тки, чтобы друзья́...

5. Лари́са откры́ла дверь, чтобы...
   Лари́са откры́ла дверь, чтобы ко́шка...

6. Си́рпа изуча́ет ру́сский язы́к, чтобы...
   Си́рпа мечта́ет, чтобы её дочь...

7. Мой друг е́здил в А́фрику, чтобы...
   Мой друг е́здил к отцу́, чтобы он...

Готовимся к разговору

Задание 1. Вы прослушали рассказ Ирены о Петербурге. Задайте ей дополнительные вопросы.

Задание 2. Как вы думаете, что можно посмотреть и о чём можно узнать в следующих музеях:

Музе́й полити́ческой исто́рии, Вое́нно-морско́й музе́й, Зоологи́ческий музе́й, музе́й-кварти́ра Ф.М. Достое́вского, Музе́й исто́рии Петербу́рга, Музе́й железнодоро́жного тра́нспорта.

Задание 3. Задайте друг другу вопросы: *Где находится...? Где расположен...? Как называется...?* И ответьте, пользуясь картой города.

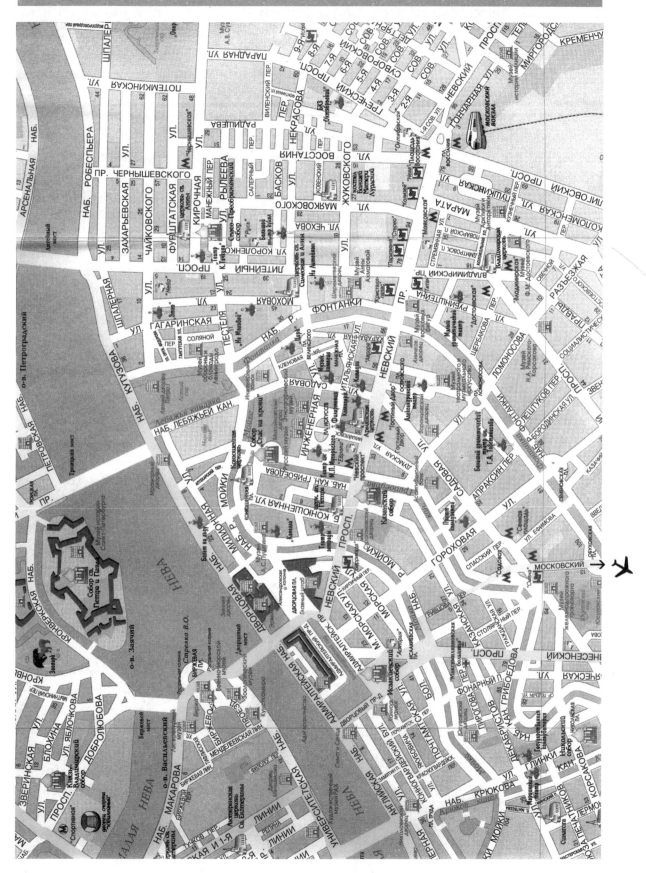

Задание 4. Составьте диалоги на основе предложенных ситуаций.

1. Ваш друг сказал, что скоро состоится автобусная экскурсия по литературным местам Петербурга. Расспросите его, что можно увидеть на такой экскурсии.

2. Вы хотите пойти в Русский музей. Позвоните туда, узнайте часы работы и выходные дни.

3. К вам собирается приехать в гости ваш друг. Расскажите, что вы ему покажете в вашем родном городе и почему.

4. Вы приехали в Петербург на два дня. Обсудите с вашими русскими друзьями, куда можно успеть сходить за это время.

5. Вы заблудились в незнакомом городе. Узнайте у прохожего, как вам добраться до нужного места.

Задание 5. Объясните, как вы понимаете следующие выражения: *коренной житель, рукой подать, на каждом шагу*. Придумайте ситуации, в которых их можно употребить.

Задание 6. Прочитайте диалоги про себя, обратите внимание на выделенные слова и словосочетания, типичные для русской разговорной речи. Прослушайте их в записи. Прочитайте их еще раз вслух. Скажите, можно ли назвать какой-нибудь город в вашей стране литературным или музыкальным? Какие города в вашей стране можно назвать древними?

Диалог 1

— О! Кого я вижу! Джон! А что ты делаешь в Петербурге? Дэвид мне говорил, что ты собираешься в Москву.

— **Да нет**, я всегда собирался в Петербург. Хочу побывать во всех литературных местах, почувствовать атмосферу этого самого литературного города России.

— А что это значит — «Литературный город»?

— Я так сказал, потому что считаю, что в Петербурге и жили, и работали самые талантливые и знаменитые русские писатели. Например, Пушкина невозможно представить себе без Петербурга, а Петербург без Пушкина. Пушкинский Петербург — символ новой России, её гордость. У Гоголя и Достоевского совсем другой Петербург, это город контрастов,

город бога́тых и бе́дных, где о́чень тру́дно жить «ма́ленькому челове́ку». А како́й таи́нственный и мисти́ческий Петербу́рг Бло́ка с его́ «прекра́сными да́мами»! Но у всех э́тих писа́телей есть и о́бщее: го́род для них стал не то́лько ме́стом де́йствия их произведе́ний и те́мой тво́рчества, но и литерату́рным геро́ем.

— А каки́е ещё изве́стные писа́тели жи́ли и рабо́тали в Петербу́рге?

— В Петербу́рге жи́ли М. Го́рький и В. Маяко́вский, С. Есе́нин и А. Толсто́й, М. Зо́щенко и А. Ахма́това*. Да обо всех невозмо́жно да́же и рассказа́ть, **ведь** Петербу́рг — оди́н из кру́пных литерату́рных це́нтров Росси́и. Е́сли у тебя́ есть вре́мя, лу́чше **уви́деть** всё э́то свои́ми глаза́ми. Я могу́ тебе́ мно́гое показа́ть и рассказа́ть о ру́сской литерату́ре.

— Е́сли э́то приглаше́ние, я бу́ду о́чень рад посмотре́ть всё э́то вме́сте с тобо́й! Спаси́бо.

Диалог 2

— Ну, вот мы и посмотре́ли Петербу́рг! Куда́ **же** да́льше? Дава́йте реши́м, в како́й го́род мы пое́дем за́втра.

— Коне́чно, в Москву́, столи́цу Росси́и. Э́то о́чень дре́вний го́род. В нём мно́го истори́ческих па́мятников и совреме́нных архитекту́рных анса́мблей. Я так мно́го чита́л о Москве́. Да и **вообще́** э́то о́чень интере́сно — познако́миться с жи́знью совреме́нного полити́ческого це́нтра страны́.

— А мне ка́жется, лу́чше пое́хать в Но́вгород. Я **име́ю в виду́** Вели́кий Но́вгород. Во-пе́рвых, э́то оди́н из са́мых дре́вних городо́в Росси́и. Когда́-то он был це́нтром феода́льного госуда́рства, име́л свою́ архитекту́рную тради́цию,

школу и́конописи, свои́ ле́тописи. Кро́ме того́, э́то намно́го бли́же, чем Москва́.

— Но Москва́ — э́то се́рдце Росси́и. Мой друг неда́вно там был. Он в восто́рге от Москвы́.

— А я слы́шал, что Москва́ о́чень шу́мный и дорого́й го́род. Ду́маю, что ти́хий зелёный го́род в росси́йской прови́нции — э́то то́же интере́сно. Когда́ ещё ты побыва́ешь там?

---

* Е́сли вы не зна́ете, как по́лностью зову́т челове́ка, о кото́ром идёт речь, чита́йте то́лько фами́лию.

Задание 7. Посмотрите на рисунок. Назовите действующих лиц этой истории. Как вы поняли, что произошло с их героями? Задайте друг другу вопросы по каждому рисунку. Расскажите (напишите) на основе рисунка всю историю. Расскажите (напишите) эту историю от лица одного из героев, скажите, как вы поступили бы на его месте. Придумайте название этой истории.

Давайте поговорим!

1. О Петербурге часто говорят, что это город-музей. Как вы думаете, почему?

2. Расскажите о крупнейших городах вашей страны, какие из них можно назвать научным, культурным, промышленным, политическим центром и почему?

3. На какой европейский город, с вашей точки зрения, похож Петербург и чем?

4. Назовите города вашей страны, в которых жили известные люди.

5. С какими проблемами сталкивается житель большого города?

Повторение — мать учения

Слова и словосочетания, которые помогут вам поговорить о городе, о его исторических и культурных памятниках

ГО́РОД (БЫЛ) ОСНО́ВАН (*когда? где? кем?*)
ГО́РОД РАСПОЛО́ЖЕН, НАХО́ДИТСЯ (*где?*)
ГО́РОД (ДРЕ́ВНИЙ, СТАРИ́ННЫЙ, МОЛОДО́Й, СОВРЕМЕ́ННЫЙ)
ГО́РОД (ШУ́МНЫЙ, ТИ́ХИЙ, ПРОВИНЦИА́ЛЬНЫЙ)
СТОЛИ́ЦА
ГО́РОД РАСТЁТ, РАЗВИВА́ЕТСЯ
ЦЕНТР (НАУ́ЧНЫЙ, КУЛЬТУ́РНЫЙ, ТОРГО́ВЫЙ, ПОЛИТИ́ЧЕСКИЙ)
У́ЛИЦА, ПЛО́ЩАДЬ, ПРОСПЕ́КТ, НА́БЕРЕЖНАЯ
ГЛА́ВНАЯ У́ЛИЦА (ПЛО́ЩАДЬ) ГО́РОДА
ДОСТОПРИМЕЧА́ТЕЛЬНОСТИ ГО́РОДА
ПА́МЯТНИК (*кому?*), ИСТОРИ́ЧЕСКИЙ ПА́МЯТНИК
СОБО́Р, ЦЕ́РКОВЬ
ЗДА́НИЕ (СТАРИ́ННОЕ, СОВРЕМЕ́ННОЕ)
АРХИТЕКТУ́РНЫЙ АНСА́МБЛЬ
ГУЛЯ́ТЬ (БРОДИ́ТЬ) ПО ГО́РОДУ
ПОСЕЩА́ТЬ/ПОСЕТИ́ТЬ (*что?*)
КЛИ́МАТ ХОЛО́ДНЫЙ (ТЁПЛЫЙ), ВЛА́ЖНЫЙ (СУХО́Й), МОРСКО́Й
У́ЛИЦА НАЗЫВА́ЕТСЯ...
ОДИ́Н ИЗ ИЗВЕ́СТНЫХ ЦЕ́НТРОВ

Используя слова, словосочетания и грамматический материал темы, выполните следующие задания.

Задание 1. Объясните, как вы понимаете выражения: *культу́рная жизнь го́рода, в го́роде есть куда́ пойти́, ме́сто о́тдыха горожа́н, жили́щное строи́тельство, торго́вый центр, тра́нспортные пробле́мы, го́род с миллио́нным населе́нием, мегапо́лис.*

Задание 2. Подберите максимум определений к следующим словам: *зда́ние, пло́щадь, парк, музе́й, при́город, архитекту́ра.*

Задание 3. Как сказать по-другому? Используйте слова и словосочетания, данные на стр. 79.

1. Го́род постро́или в XVIII ве́ке.

2. Го́род нахо́дится на берегу́ мо́ря.

3. В го́роде мно́го музе́ев, теа́тров, па́мятников архитекту́ры и культу́ры.

4. Центра́льная у́лица называ́ется Не́вский проспе́кт.

5. В го́роде мно́го зда́ний, кото́рые постро́или бо́лее 100 лет наза́д.

6. В го́роде ча́сто быва́ет хо́лодно и идёт дождь.

7. В XVIII и XIX века́х наш го́род был гла́вным го́родом Росси́и.

8. Сейча́с в го́роде живёт почти́ 5 миллио́нов челове́к, в нём о́чень мно́го но́вых домо́в, у́лиц и проспе́ктов, эффекти́вная систе́ма тра́нспорта.

9. Я роди́лся в го́роде, кото́рый нахо́дится о́чень далеко́ от Москвы́.

10. В на́шем го́роде на у́лицах о́чень ма́ло люде́й и маши́н.

Решётка Летнего сада

Банковский мост

Внеклассное чтение

Василий Макарович Шукшин (1929–1974) — советский писатель, актёр, режиссёр. В его произведениях описывается реальная повседневная жизнь. Писателя интересует «маленький человек», в котором он умеет увидеть главное: трудолюбие, любознательность, отзывчивость и духовную чистоту. Всё, что окружало Шукшина, все люди и факты становятся для него предметом искусства. Он представляет литературную традицию, в которой жизнь гораздо выше самого искусства.

ПОСТСКРИПТУМ

Это письмо я нашёл в номере гостиницы, в ящике стола. Я решил, что это письмо можно опубликовать, если изменить имена. Оно показалось мне интересным.

Вот оно:

«Здравствуй, Катя! Здравствуйте, детки: Коля и Любочка! Вот мы и приехали. Город просто поразительный по красоте. Да, Пётр Первый знал, конечно, своё дело. Мы его видели — по известной тебе открытке: на коне и со змеёй.

Нас сначала хотели поместить в одну гостиницу, но туда приехали иностранцы, и нас повезли в другую. Гостиница просто шикарная! Я живу в люксе на одного, номер 4009 (4 — это значит четвёртый этаж, 9 — это номер, а два нуля — я так и не выяснил). Меня удивило здесь окно. Прямо как входишь — окно во всю стену. Около окна — такая шишечка. И вот ты подходишь, поворачиваешь шишечку влево, и в комнате полумрак. Поворачиваешь вправо — опять светло. Это жалюзи. Если бы такие продавали, я бы сделал у себя дома. Я похожу поспрашиваю по магазинам. А если нет, то попробую сделать сам. Принцип работы этого окна я понял. И кровать такую я сделаю. Поразительная кровать. Мы с Иваном Девятовым нарисовали чертёж — её легко сделать.

На шестом этаже находится буфет, но всё дорого. Поэтому мы с Иваном берём в магазине колбасы и завтракаем и ужинаем у себя в люксе. Дежурная по коридору говорит, что это не запрещается, но только чтобы после себя ничего не оставляли. А сначала против была — надо, говорит, в буфет ходить. Мы с Иваном объяснили ей, что за эти деньги мы лучше подарки домой привезём. Опишу также туалет. Туалет просто поразительный. И ванная. У нас тут одна из Краматорского района сначала боялась лить много воды, когда мылась в ванной, но потом ей объяснили, что это входит в стоимость номера. Я моюсь теперь каждый день. Вымоешься, закроешь жалюзи, ляжешь на кровать и думаешь: вот так бы всё время жить, можно было бы сто лет прожить, и ни одна болезнь тебя бы не коснулась, потому что всё продумано. Вот сейчас, когда я пишу это письмо, за окном прошли моряки. Вообще движение колоссальное.

Но что здесь поражает — это вестибюль. У меня тут был один неприятный случай. Подошёл я к сувенирам. Лежит огромная зажигалка. Цена — 14 рублей. Ну, думаю, дорого, но куплю! Как память о нашем путешествии. Дайте, говорю, посмотреть. А стоит девчушка молодая... И вот она перед иностранцами — и так, и этак. Она и улыбается, и показывает им всё, и в глаза им заглядывает. Просто смотреть стыдно! Я говорю: дайте зажигалку посмотреть. Она: вы же видите, я занята. Да с такой злостью, и улыбка пропала. Ну, я стою. А она опять к иностранцам, и опять на глазах меняется человек. Я и говорю ей: чего же ты так? Прямо на колени встать готова. Ну, меня позвали в сторону, посмотрели документы... Нельзя, говорят, так. Мы всё понимаем, но надо вежливость проявлять. Какая уж тут вежливость. Я тоже их уважаю, но у меня своя гордость есть, и мне за неё стыдно. Я здесь не выпиваю, иногда только с Иваном пива выпьем, и все. Мы же понимаем, что на нас тоже смотрят. Дураков не повезут за пять тысяч километров знакомить с памятниками архитектуры и отдохнуть.

Вообще время проводим очень хорошо, только погода не очень хорошая. В следующем письме опишу наше посещение драмтеатра. Колоссально! Показывали одну пьесу... Ох, одна артистка там...! Голосок у неё тонкий, она плачет, а смех... Со мной сидел один, говорит: пошлость и манерность. А мы с Иваном до слёз хохотали, хотя история грустная. Ты не подумай там чего-нибудь — это же искусство. Это я про артистку... Ещё мне понравился один артист, который, говорят, живёт в этом городе. Ты его тоже, может быть, видела в кино: говорит быстро-быстро, немного на бабу похож — голосом и манерами. Ну, до свидания! Остаюсь жив-здоров.

Михаил Дёмин.

Постскриптум: вышли немного денег, рублей сорок — мы с Иваном проелись немного. Иван тоже попросил у своей шестьдесят рублей. Потом наверстаем. Всё».

Вот такое письмо. Повторяю, имена я изменил.

(по В.М. Шукшину)

6

В МАГАЗИНЕ

Задание 1.

Любите ли вы ходить по магазинам? В каких магазинах города вы уже были? Как называются самые крупные из них? Где находится центральный книжный магазин и как он называется? Когда открываются и когда закрываются наши магазины? Что такое обеденный перерыв? Как вы думаете, что значит: *это мне не по карману?*

> **Сколько стоит** эта матрёшка?
> **Эта матрёшка стоит 124 рубля.**
> **Я иду в универмаг.**
> **Я ходил в супермаркет.**
> **Он ходит по магазинам.**
> **Я всегда хожу в Гостиный Двор.**
> Картины продают в отделе «Искусство».
> Вам нужно заплатить в кассу.
> Я хотел бы купить сувениры.
> Возьмите чек и сдачу.
> Где продают фотоплёнку?
> В каком отделе можно купить часы?
> Новый магазин откроют через месяц.

Прочитайте текст. Обратите внимание на выделенные конструкции.

В МАГАЗИНЕ

— Ирена, вчера мы весь день **ходили по городу**, но не купили то, что хотели. Не могла бы ты рассказать нам, где и что можно купить.

— Сейчас я вам всё расскажу. В центре много магазинов, но я советую вам пойти в Гостиный Двор, я **всегда хожу** туда, когда бываю в Петербурге. Это самый старый универмаг города, который находится на Невском проспекте. В нём много разных отделов. Если вы хотите купить туфли, вам нужен отдел «Обувь», **в отделе** «Парфюмерия» **продают** духи, мыло, шампуни, в отделе «Канцелярские товары» можно купить ручки, карандаши, тетради.

В этом магазине есть отделы «Одежда», «Фототовары», «Ткани», «Посуда», «Музыкальные инструменты», «Спорттовары», «Бытовая техника», «Сувениры», в которых вы можете купить всё, что вам надо.

— А в каком отделе **можно купить** зонт?

— **Зонты продают** в отделе «Галантерея». Там же можно купить перчатки, кошелёк, сумку.

Если вам что-то понравилось и вы решили это купить, вы должны **заплатить** деньги **в кассу, взять чек и сдачу.** Этот чек вы даёте продавцу и получаете свою покупку.

— А книжный отдел в Гостином Дворе есть?

— Нет. Книги продаются в специальных книжных магазинах. Самый крупный из них — Дом книги. Там есть научная и художественная литература, книги по искусству, учебники, альбомы с репродукциями картин известных художников, детская литература. Кстати, вчера я купила там прекрасную книгу об Эрмитаже.

— Значит, там я могу купить англо-русский словарь?

— Конечно. И русско-английский, и испанско-русский, и русско-китайский, и какой хочешь. В этом магазине можно также найти книги почти на всех языках мира.

— А **я бы хотел купить** какую-нибудь картину. Меня интересует современная русская живопись.

— **Купить** картину **можно** в художественных салонах. Там **продают** авторские **работы** не только художников, но и скульпторов, ювелиров. Иногда картины продают сами художники прямо на улицах. Они даже могут нарисовать ваш портрет. Да, обязательно зайдите в отдел сувениров, чтобы выбрать подарки друзьям.

Ответьте на вопросы:

1. В какой магазин советует пойти туристам Ирена? 2. Какие отделы там есть? 3. Что продаётся в отделах «Обувь», «Парфюмерия», «Канцелярские товары», «Галантерея»? 4. Можно ли в Гостином Дворе купить книгу? А где можно это сделать? 5. Где продаются картины?

Это вы помните! («Жили-были», с. 83).

Оди́н рубль, до́ллар — одна́ песе́та, ма́рка, копе́йка

Два, три, четы́ре рубля́, до́ллара — две, три, четы́ре песе́ты, ма́рки, копе́йки

Пять, ... (ско́лько, мно́го, ма́ло, не́сколько) рубле́й, до́лларов, песе́т, ма́рок, копе́ек

Но!

Оди́н е́вро
Два, три, четы́ре, пять... сто е́вро.

Упражнение 1. Ответьте на вопросы. Используйте слова, данные в скобках.

1. Ско́лько сто́ит э́тот шарф? (125 руб.) 2. Ско́лько сто́ят ту́фли? (1231 руб.). 3. Ско́лько сто́ит альбо́м «Эрмита́ж»? (583 руб.) 4. Ско́лько сто́ит телеви́зор? (5678 руб.). 5. Ско́лько сто́ит э́тот серви́з? (1832 руб.) 6. Ско́лько сто́ит ру́чка? (4 руб.) 7. Ско́лько сто́ит плато́к? (281 руб.) 8. Ско́лько сто́ят э́ти цветы́? (56 руб.).

Оди́н журна́л, слова́рь — одна́ кни́га, ру́чка.
Два, три, четы́ре журна́ла, словаря́ — две, три, четы́ре кни́ги, ру́чки.
Пять... журна́лов, словаре́й — пять... книг, ру́чек.
Мно́го, ма́ло, ско́лько.

Упражнение 2. Раскройте скобки.

1. Ле́том в Петербу́рге мно́го (тури́ст).
2. В на́шей кварти́ре четы́ре (ко́мната).
3. У меня́ два (брат).
4. О́тпуск бу́дет че́рез две (неде́ля).
5. В э́той кни́ге 143 (страни́ца).
6. В э́том ме́сяце 31 (день).
7. В на́шем го́роде мно́го (сад и парк).
8. В на́шей библиоте́ке 1257 (кни́га).
9. Сего́дня у меня́ бу́дет мно́го (гость) .
10. В Петербу́рге пять (вокза́л).
11. Он купи́л не́сколько (газе́та и журна́л).

Упражнение 3. Посмотрите на рисунки и скажите, сколько стоят эти вещи в вашей стране.

clothing

туфли — *boot*
сапоги — *booty*
ботинки — *shoes*
тапочки — *flat shoes*
костюм
платье
юбка
пиджак — *jacket*
брюки
джинсы — *Jeans*
свитер
рубашка — *Shirt*
блузка — *blouse*
носки
колготки
пальто — *overcoat / Jacket +*
куртка
шапка
берет
галстук — *tie*
халат — *dressing gown / winter coat*
шуба — *fur coat*

2000 руб. 45 руб. 4000 руб. 2400 руб. 600 руб. 3900 руб.
3156 руб. 1800 руб.
950 руб. 4400 руб. 130 руб. 12000 руб.
1500 руб.
7000 руб. 100 руб. 500 руб. 1300 руб.
120 руб. 70 руб. 800 руб. 750 руб. 1200 руб.

Упражнение 4. Переведите на родной язык, а потом опять на русский язык.

translate   ancestral language

1. Фрукты и овощи продают на рынке. *Fruit + veg   sell   markets*

..........Нада купить фрукты и овощи на рынке и на супермарк ....

2. Говорят, что лето будет холодное.

....

3. Новый спортивный комплекс открывают в январе.

....

4. По радио передавали Первый концерт Чайковского.

....

5. Рождество в России отмечают седьмого января.

....

6. Меня часто спрашивают, где я изучал русский язык.

....

7. Этот театр построили два года назад.

....

Посмотрите на рисунки.

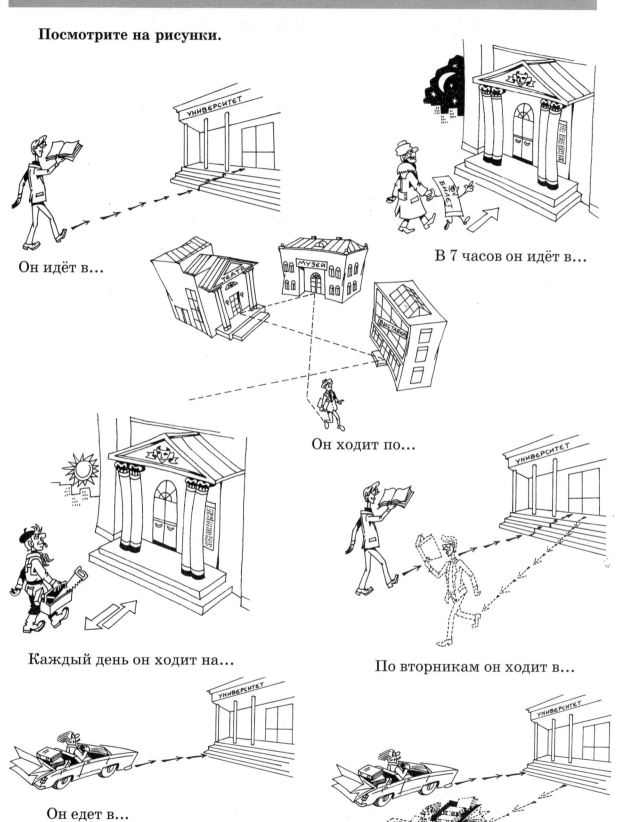

Он идёт в...

В 7 часов он идёт в...

Он ходит по...

Каждый день он ходит на...

По вторникам он ходит в...

Он едет в...

Он всегда ездит в...

Это вы помните! («Жили-были», с. 104).

Ехать, ездить **НА** маши́не,
метро́,
авто́бусе,
электри́чке

Упражнение 5. Вместо точек поставьте нужный глагол.

Instead of dots supply necessary Verb

1. Де́вушка ... к остано́вке авто́буса. 2. Мы ... по вы́ставке уже́ 2 часа́. 3. Вчера́ це́лый день мы ... по па́рку. 4. По утра́м я ... в бассе́йн. 5. Ива́н Петро́вич ... в Барсело́ну. 6. Маши́на ... в гара́ж. 7. Тури́сты ... по дре́вним ру́сским города́м. 8. Ка́ждую суббо́ту мы ... на да́чу. 9. Вчера́ студе́нты ... в теа́тр. 10. Я люблю́ ... пешко́м.

Упражнение 6. Ответьте на вопросы, используя глаголы *идти́* или *ходи́ть*, *ехать* или *ездить*.

1. Вы смотрите достопримечательности в незнакомом городе. Вы ходите или идёте по городу?

2. Машина спускается с горы. Она едет или ездит вниз? *hill*

3. Вы увидели друга и хотите сказать ему что-то важное. *important* Вы идёте или ходите ему навстречу?

4. Дети спешат в школу. Они идут или ходят в школу?

5. Вы ждёте около метро подругу, она опаздывает. Вы ходите или идете около метро?

6. Вы смотрите в Русском музее картины. Вы идёте или ходите по музею?

7. Вам надо купить продукты. Вы идёте или ходите в магазин?

8. Ваш друг собирается в отпуск. Ему надо купить много разных вещей. Он идёт в магазины или он ходит по магазинам?

Я иду́ к дру́гу (от дру́га).
Я е́ду к дру́гу (от дру́га).

Я ходи́л к друзья́м.
Я е́здил к друзья́м.   = Я был у друзе́й.

У кого́?	*К кому́?*	*От кого́?*
У дру́га	К дру́гу	От дру́га
У нас	К нам	От нас

88

Упражнение 7. Ответьте на вопросы, употребив в ответах данные ниже слова.

Где он был? Куда́ он идёт? Отку́да он идёт?

У кого́ он был? К кому́ он идёт? От кого́ он идёт?

Куда́ он е́здил? Куда́ он е́дет? Отку́да он е́дет?

От кого́ он е́дет? К кому́ он е́здил?

С л о в а д л я о т в е т о в: подру́га, роди́тели, о́тпуск, рабо́та, университе́т, теа́тр, ро́дственники, магази́н, брат, библиоте́ка, ба́бушка и де́душка.

Готовимся к разговору

Задание 1. Ответьте на реплику собеседника.

1. — Ты не зна́ешь, где я могу́ купи́ть ка́рту Петербу́рга?

    — ....

2. — Скажи́те, пожа́луйста, в како́м отде́ле продаю́тся тетра́ди и ру́чки?

    — ....

3. — А в Петербу́рге мо́жно купи́ть кни́ги на испа́нском языке́?

    — ....

4. — Како́й краси́вый самова́р. Кому́ ты его́ купи́л?

    — ....

5. — Скажи́те, пожа́луйста, де́ньги плати́ть в отде́л?

    — ....

Задание 2. Восстановите вопросы.

1. — .... ?

    — Гости́ный Двор.

2. — .... ?

    — Вы мо́жете купи́ть там всё, что вам на́до.

3. — .... ?

    — Э́тот зонт сто́ит 342 рубля́.

4. — .... ?

    — Э́то карти́на изве́стного ру́сского худо́жника.

5. — .... ?

    — Я подарю́ э́тот плато́к ма́ме.

Задание 3. Составьте диалоги на основе предложенных ситуаций.

1. Вы хоти́те купи́ть кни́ги совреме́нных ру́сских писа́телей. Спроси́те у ва́шего ру́сского дру́га, где э́то лу́чше сде́лать?

2. В ва́шем фотоаппара́те ко́нчилась плёнка. Како́й разгово́р мо́жет произойти́ ме́жду ва́ми и продавцо́м отде́ла «Фототова́ры»?

3. Ваш ру́сский друг прие́хал к вам в го́сти. Посове́туйте, каки́е сувени́ры ему́ купи́ть.

Задание 4. Объясните, как вы понимаете следующие поговорки: *не до́рог пода́рок, дорога́ любо́вь, дарёному коню́ в зу́бы не смо́трят, броса́ть де́ньги на ве́тер.* **Придумайте ситуации, в которых их можно употребить.**

Задание 5. Прочитайте диалоги про себя, обратите внимание на выделенные слова и словосочетания, типичные для русской разговорной речи. Прослушайте диалоги в записи. Прочитайте их вслух. Попробуйте составить подобные диалоги.

Диалог 1

— Скажи́те, пожа́луйста, **что у вас есть по исто́рии Росси́и?**

— Вот, посмотри́те э́ти кни́ги.

— **Так...** О́чень интере́сно. «Золото́е кольцо́ Росси́и» — како́е стра́нное назва́ние. О чём э́то?

— В э́той кни́ге расска́зывается о дре́вних ру́сских города́х. Посмотри́те, каки́е прекра́сные здесь фотогра́фии. *wonderful*

— Да, замеча́тельные. Ско́лько она́ сто́ит?

— 450 рубле́й.

a little expensive — **Дорогова́то...** но я её возьму́. Куда́ плати́ть, вам?

— Нет, в ка́ссу, пожа́луйста.

— А где ва́ша ка́сса?

— Спра́ва от вхо́да.

Диалог 2

— Бу́дьте добры́, покажи́те мне э́ту шкату́лку.

— Вот э́ту? **За со́рок рубле́й?**

— Нет, ту, кото́рая сто́ит спра́ва, **за 168.**

— Пожа́луйста. Э́то ручна́я рабо́та. Таки́е ча́сто **покупа́ют в пода́рок.**

— А мне **как раз** и ну́жно купи́ть пода́рок. Как вы ду́маете, э́то подойдёт для пожило́й же́нщины? *more mature*

— Конéчно. Пáлехские шкатýлки вообщé берýт óчень охóтно.

— А что ещё вы посовéтуете **купúть на пáмять** о Россúи?

— Купúте жóстовский поднóс. Посмотрúте, какóй красúвый, чёрный с я́ркими цветáми.

— **Здóрово!** А что знáчит **«жóстовский»**?

— **Жóстово** — э́то дерéвня недалекó от Москвы́. Там дéлают такúе поднóсы.

— **Пожáлуй**, егó я тóже возьмý. Платúть вам úли в кáссу?

— Нáша кáсса здесь, в отдéле.

— **Скóлько с меня́?**

— Так... Шкатýлка стóит 168 рублéй, поднóс — 260... **С вас 428 рублéй**.... У вас 500 рублéй... Возьмúте, пожáлуйста, сдáчу — 72 рубля́. И не забýдьте чек.

— Спасúбо.

Задáние 6. Посмотрите на рисунки. Назовите действующих лиц этой истории. Удачным ли было их путешествие в Сибирь? Задайте друг другу вопросы по каждому рисунку. Составьте, если это возможно, диалоги к каждому рисунку. Расскажите (напишите) на основе рисунков всю историю. Как вы думаете, чем закончилась эта история? Придумайте её название.

Давайте поговорим!

1. Скажите, какие русские сувениры вы знаете? А какие сувениры покупают туристы в вашей стране?

2. Как вы думаете, где удобнее делать покупки: в больших универмагах, где много разных отделов, или в маленьких специализированных магазинах?

3. Как вам кажется, Петербург — дорогой город? В каких городах — больших или маленьких, по вашему мнению, жизнь дороже и почему?

4. Что вам нравится и не нравится в работе современных магазинов?

5. Единая европейская валюта (евро) — довольны ли вы её появлением?

Повторение — мать учения

Слова и словосочетания, которые помогут вам поговорить
о посещении магазинов и покупках

ХОДИ́ТЬ ПО МАГАЗИ́НАМ

МАГАЗИ́НЫ ОТКРЫВА́ЮТСЯ ↔ ЗАКРЫВА́ЮТСЯ (*когда?*)

ПОКУПА́ТЬ/КУПИ́ТЬ (*что?*)

ПЛАТИ́ТЬ/ЗАПЛАТИ́ТЬ (*сколько? за что?*)

ПРОДАВА́ТЬ (ПРОДАВА́ТЬСЯ)/ПРОДА́ТЬ (*что?*)

УНИВЕРМА́Г

ХУДО́ЖЕСТВЕННЫЙ САЛО́Н

ДОМ КНИ́ГИ

КНИ́ГИ ПО ИСКУ́ССТВУ, ИСТО́РИИ

ОТДЕ́Л ОДЕ́ЖДЫ, ФОТОТОВА́РОВ, БЫТОВО́Й ТЕ́ХНИКИ, СУВЕНИ́РОВ, ТКА́НЕЙ

ОТДЕ́Л: О́БУВИ (ОБУВНО́Й ОТДЕ́Л)

ПАРФЮМЕ́РИИ (ПАРФЮМЕ́РНЫЙ ОТДЕ́Л)

ПОСУ́ДЫ (ПОСУ́ДНЫЙ ОТДЕ́Л)

ГАЛАНТЕРЕ́И (ГАЛАНТЕРЕ́ЙНЫЙ ОТДЕ́Л)

КНИ́ЖНЫЙ ОТДЕ́Л

СПОРТТОВА́РЫ

КАНЦЕЛЯ́РСКИЕ ТОВА́РЫ

ЧЕК

СДА́ЧА

ДО́РОГО ↔ ДЁШЕВО

Задание 1. Скажите (напишите), в каких отделах можно купить следующие товары:

шампу́нь, боти́нки, кошелёк, тетра́ди, пальто́, карти́ну, матрёшку, то́стер, уче́бники, спорти́вный костю́м, таре́лки.

Задание 2. Какие слова пропущены в репликах?

А)

— Де́вушка, у вас есть тетра́ди для шко́льников?

— Нет, в на́шем отде́ле тетра́ди не .... У нас мо́жно купи́ть то́лько кни́ги.

— А где же мо́жно купи́ть тетра́ди?

— Тетра́ди есть в ....

Б)

— Бу́дьте добры́, ..., пожа́луйста, э́ту ку́ртку.

— Каку́ю? За 400 ... ?

— Нет, вот э́ту се́рую за 342 ... .

— Пожа́луйста. Э́то о́чень тёплая и не о́чень ... ку́ртка.

— Да, ку́ртка о́чень хоро́шая, и цена́ .... А каку́ю ша́пку вы мне ... купи́ть?

— Возьми́те вот э́ту. Она́, коне́чно, не о́чень ..., но о́чень тёплая.

— Спаси́бо. Я ... и ку́ртку, и ша́пку. Куда́ ..., вам?

— Нет, ..., пожа́луйста в ка́ссу.

В)

— Серге́й, я хочу́ купи́ть что́-нибудь на па́мять о Росси́и.

— Зайди́ в Гости́ный двор, в ... сувени́ров. Там всегда́ большо́й вы́бор.

— Но я бы бо́льше хоте́л купи́ть альбо́м по иску́сству и́ли каку́ю-нибудь карти́ну.

— Тогда́ тебе́ ну́жно идти́ в .... Йли в ....

Задание 3. Закончите предложения, используя слова, данные справа.

1. Сего́дня мы идём в ...	футбо́льный матч
2. Ле́том Ма́ша е́здила к ...	публи́чная библиоте́ка
3. Ве́ра е́дет из ...	зубно́й врач
4. Студе́нты ходи́ли на ...	двою́родная сестра́
5. Мой брат был у ...	шко́льные друзья́
6. Я иду́ от ...	спорти́вный ла́герь
7. Ле́том мы бы́ли в ...	о́перный теа́тр

Аркадий Тимофеевич Аверченко (1881–1925) — писатель-юморист, драматург, театральный критик. В своем творчестве он продолжал традиции М.Твена и О'Генри. Многие рассказы писателя ставились в петербургских театрах. В 1918 году уехал из России. С 1922 года жил в Праге. За искусное мастерство и талант А.Т. Аверченко называли «королём смеха».

РЫЦАРЬ ИНДУСТРИИ

Впервые я познакомился с ним, когда он вылетел из окна второго этажа и упал на дорогу.

Я подошел к окну и спросил неизвестного:

— Не могу ли я вам чем-нибудь помочь?

— Почему не можете? — добродушно кивнул он головой. — Конечно, можете.

— Заходите ко мне, пожалуйста, — сказал я и отошел от окна.

Он вошёл, весёлый, улыбающийся. Протянул мне руку и сказал:

— Цацкин.

— Очень рад. Не ушиблись ли вы?

— Нет, нет! Чистейшие пустяки.

— Наверное, из-за какой-нибудь хорошенькой женщины? — спросил я и подмигнул. – Хе-хе.

— Хе-хе! А вы, наверное, любитель таких сюжетов, хе-хе?! Не хотите ли, могу продать вам серию открыток. Немецкий жанр!

— Нет, зачем же? – удивился я и внимательно посмотрел на него. — Послушайте... ваше лицо, кажется, мне знакомо. Это не вас ли вчера какой-то господин столкнул с трамвая?

— Ничего подобного! Это было позавчера. А вчера меня столкнули с чёрной лестницы на вашей же улице.

Господин Цацкин заметил мой удивлённый взгляд и сказал:

— Все потому, что я хочу застраховать их жизнь. Хороший народ: я беспокоюсь о их жизни, а они хотят моей смерти.

— Так вы агент по страхованию жизни? — сухо сказал я. — Чем же я могу вам помочь?

— Вы мне можете помочь одним маленьким ответиком на вопрос: как вы хотите у нас застраховаться?

— Никак я не хочу страховаться, — покачал я головой.

— А супруга?

— Я не женат.

— Так вам нужно жениться! Могу вам предложить одну девушку... Двенадцать тысяч приданого, отец две лавки имеет! Вы завтра свободны? Можно завтра же поехать и посмотреть. Костюм, белый жилет. Если нет, можно купить готовые. Наша фирма...

— Господин Цацкин! Я не хочу и не могу жениться! Я не создан для семейной жизни...

— Ой! Не созданы? Почему? Может быть, вы до этого очень весело жили? Так вы не бойтесь... Могу предложить вам средство, которое даёт радость каждому меланхоличному мужчине...

— Не надо мне ничего. Не такая у меня внешность, чтобы думать о любви. На голове лысина, морщины, маленький рост...

— Что такое лысина? Если вы купите средство нашей фирмы, так обрастёте волосами, как, извините, кокосовый орех! А рост? Наш гимнастический прибор через каждые шесть месяцев увеличивает рост на два сантиметра. Через два года вам уже можно будет жениться, а через пять лет вас уже можно будет показывать! А вы говорите — рост...

— Ничего мне не нужно! — сказал я и сжал виски. — Простите, но вы действуете мне на нервы...

— На нервы? И он молчит! У нас есть прекрасное средство...
Я схватился за голову.

— Что с вами? Голова болит? Вы только скажите, сколько вам надо тюбиков нашей пасты «Мигренин» — фирма вам сама доставит на дом...

— Извините, — сказал я, — но я прошу вас уйти. Мне некогда. Я очень устал, а у меня ещё много работы... Я должен писать статью.

— Вы устали? — сочувственно спросил господин Цацкин. Это потому что вы ещё не купили нашего приспособления для чтения и письма. За две штуки семь рублей, а за три — десять!

— Пошёл вон! – закричал я. — Или я проломлю тебе голову этим пресс-папье!!

— Этим пресс-папье? — презрительно сказал господин Цацкин. — Этим пресс-папье... Вы на него дуньте — и оно улетит. Нет, если вы хотите иметь настоящее пресс-папье, то я могу вам предложить целый прибор из малахита...
Я нажал кнопку электрического звонка.

— Вот сейчас придёт человек и выведет вас!
Печально склонив голову, господин Цацкин сидел и молчал.

Прошло две минуты. Я позвонил снова.

— Хорошие звонки, — покачал головой господин Цацкин. — Разве можно иметь звонки, которые не звонят? Позвольте вам предложить звонки за семь рублей шестьдесят копеек. Изящные звонки...

Я вскочил, схватил господина Цацкина за руку и потащил к выходу.

— Идите! Или у меня сейчас будет инфаркт...

— Это не дай Бог, но вы не беспокойтесь! Мы вас прилично похороним по второму классу. Правда, не будет так красиво, как по первому, но катафалк...

Я закрыл за господином Цацкиным дверь, повернул ключ и вернулся к столу.

Через минуту дверная ручка повернулась, дверь открылась.

Господин Цацкин робко вошёл в комнату и сказал:

— Могу вам сказать, что ваши замки никуда не годятся... Хорошие английские замки могу продать вам я — один за два рубля сорок копеек, три – за шесть рублей пятьдесят копеек, а пять штук...

Я вынул из письменного стола револьвер и закричал:

— Сейчас я буду стрелять!!!

Господин Цацкин с довольным видом улыбнулся и сказал:

— Я буду очень рад, так как это даст вам возможность убедиться, какого качества жилет от пуль я надел для образца и который могу вам предложить. Одна штука восемнадцать рублей, две дешевле, а три ещё дешевле!

Я схватил господина Цацкина и выбросил в окно.

Когда он падал, он крикнул мне:

— У вас очень непрактичные запонки! Острые углы, они рвут платье. Могу предложить вам запонки из африканского золота — пара два рубля, три пары де...

Я закрыл окно.

(по А. Аверченко)

7

ТРАНСПОРТ

Задание 1.

Скажи́те, как вы добира́етесь до ме́ста рабо́ты (учёбы)? Ско́лько вре́мени вы тра́тите на доро́гу? Лю́бите ли вы ходи́ть пешко́м? Какой вид тра́нспорта вам ка́жется са́мым удо́бным? Ско́лько сто́ит прое́зд в авто́бусе в ва́шем го́роде? Есть ли в ва́шем го́роде метро́? Во́дите ли вы маши́ну? Как вы понима́ете погово́рку: *Ти́ше е́дешь — да́льше бу́дешь?*

Я **добира́юсь** до це́нтра за полчаса́.

Обы́чно я **выхожу́ из** до́ма в 8 часо́в, а **прихожу́** домо́й в 5.

Я сел на маши́ну и **пое́хал на** рабо́ту.

На чём ты **прие́хал?**

Когда́ я **е́ду** в авто́бусе, я чита́ю.

По доро́ге домо́й я всегда́ **захожу́** в магази́н.

Ко мне подошёл незнако́мый челове́к и спроси́л, **как дое́хать** до теа́тра.

Он **обошёл** всё зда́ние, но не нашёл вхо́да.

Переходи́ть доро́гу на́до осторо́жно!

Прочитайте текст. Обратите внимание на выделенные конструкции.

Общественный транспорт и́ли ли́чный автомоби́ль?

Как вы по́мните, Кла́ус неда́вно купи́л краси́вый дом в при́городе Берли́на. Он, как и мно́гие горожа́не, предпочита́ет жить за го́родом, а рабо́тать в го́роде. Коне́чно, у него́ есть маши́на, и он **добира́ется до** рабо́ты о́чень бы́стро. Но сего́дня Кла́ус реши́л посмотре́ть, ско́лько вре́мени он потра́тит на доро́гу, е́сли **пое́дет** на рабо́ту на **обще́ственном тра́нспорте**. Заче́м э́то ему́ ну́жно? Вы же по́мните, что он журнали́ст, сейча́с он **рабо́тает над** статьёй «Обще́ственный тра́нспорт и́ли ли́чный автомоби́ль. За и про́тив». Да и бесконе́чные **про́бки на доро́ге** уже́ так надое́ли!

Кла́ус **вы́шел из** до́ма в 7.30 и **пошёл на** авто́бусную остано́вку. Авто́бус **подошёл** о́чень бы́стро, он споко́йно сел, заплати́л за прое́зд и стал чита́ть газе́ту. **На коне́чной остано́вке** он **вы́шел** из авто́буса и **пошёл** к метро́, потому́ что реда́кция газе́ты, где он рабо́тает, **нахо́дится в трёх остано́вках от кольца́** авто́буса, на кото́ром он **прие́хал**. Че́рез три остано́вки Кла́ус **вы́шел из** ваго́на по́езда и **пошёл** в о́фис. Но что э́то? Сквер, че́рез кото́рый на́до идти́ к о́фису, сего́дня почему́-то закры́т. Придётся его́ **обходи́ть**. Кла́ус **обошёл** сквер, **перешёл на** другу́ю сто́рону у́лицы и **пошёл да́льше**. «Но как жа́рко сего́дня! На́до купи́ть минера́льной воды́», — поду́мал Кла́ус. Он **зашёл** в магази́н, купи́л минера́льную во́ду и продо́лжил свой путь. **Ми́мо прое́хала** маши́на, и кто́-то помаха́л ему́ руко́й. Э́то был его́ нача́льник, кото́рый о́чень не лю́бит, когда́ кто́-нибудь опа́здывает на рабо́ту. Кла́ус посмотре́л на часы́: «Я же опа́здываю! Уже́ 8.30!» Но что де́лать?! Экспериме́нт так экспериме́нт! До о́фиса ещё **мину́т 5 ходьбы́**, придётся поторопи́ться. Че́рез 5 мину́т он **вбежа́л** в о́фис.

Интере́сно, что напи́шет Кла́ус в свое́й статье́?

Отве́тьте на вопро́сы:

1. Где нахо́дится но́вый дом Кла́уса?
2. Как он обы́чно добира́ется до рабо́ты?
3. Почему́ сего́дня он не пое́хал на рабо́ту на маши́не?
4. Когда́ он вы́шел из до́ма?
5. На чём он пое́хал в Берли́н?
6. Что он де́лал, когда́ е́хал в авто́бусе?
7. Далеко́ ли от коне́чной остано́вки авто́буса нахо́дится его́ реда́кция?
8. Куда́ и заче́м он реши́л зайти́ по доро́ге в о́фис?
9. Кого́ и где он уви́дел?
10. Когда́ Кла́ус пришёл на рабо́ту?

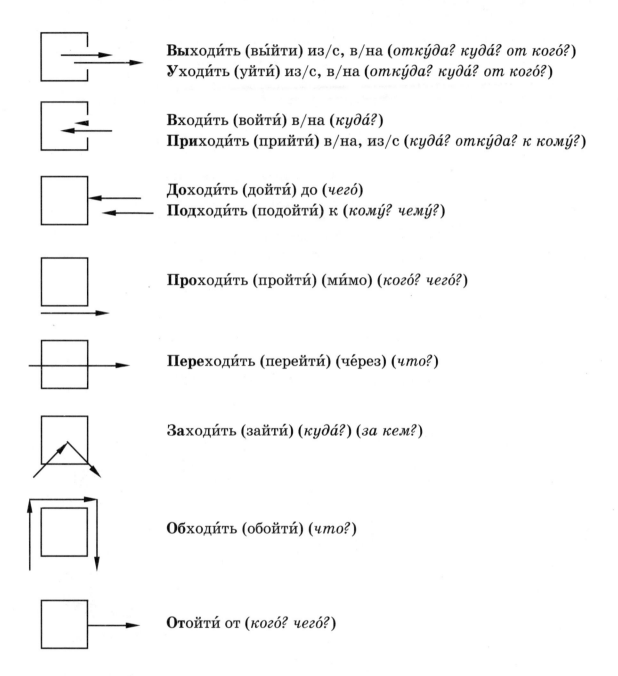

Выходи́ть (вы́йти) из/с, в/на (*отку́да? куда́? от кого́?*)
Уходи́ть (уйти́) из/с, в/на (*отку́да? куда́? от кого́?*)

Входи́ть (войти́) в/на (*куда́?*)
Приходи́ть (прийти́) в/на, из/с (*куда́? отку́да? к кому́?*)

Доходи́ть (дойти́) до (*чего́*)
Подходи́ть (подойти́) к (*кому́? чему́?*)

Проходи́ть (пройти́) (*ми́мо*) (*кого́? чего́?*)

Переходи́ть (перейти́) (*че́рез*) (*что?*)

Заходи́ть (зайти́) (*куда́?*) (*за кем?*)

Обходи́ть (обойти́) (*что?*)

Отойти́ от (*кого́? чего́?*)

Упражнение 1. Вместо точек вставьте нужную приставку.

1. Я ...шёл в ко́мнату и уви́дел, что окно́ откры́то. 2. Отку́да вы ...éхали? 3. Почему́ ты ...шёл ми́мо меня́ и не поздоро́вался? 4. Когда́ мы ...шли из теа́тра, бы́ло уже́ сли́шком по́здно, что́бы звони́ть друзья́м. 5. По доро́ге на рабо́ту я ...шёл к дру́гу. 6. Снача́ла я пригото́вила обе́д, а пото́м ...éхала к подру́ге. 7. Нельзя́ ...ходи́ть у́лицу на кра́сный свет. 8. Мы ...шли большу́ю лу́жу. 9. Когда́ мы ...éхали до до́ма, дождь зако́нчился.

Упражнение 2. Вместо точек напишите нужный глагол движения. Составьте предложения с полученными словосочетаниями.

....	в ко́мнату	....	на рабо́ту
....	из до́ма	....	до ста́нции метро́
....	к дру́гу	....	к милиционе́ру
....	у́лицу	....	от роди́телей
....	ми́мо ры́нка	....	за подру́гой
....	лу́жу	....	с вы́ставки
....	к остано́вке	....	че́рез мост

Упражнение 3. Измените рассказ. Начните его так: «Вчера́...»

Ка́ждый день ве́чером я выхожу́ на прогу́лку в парк, кото́рый нахо́дится недалеко́ от на́шего до́ма. Но гуля́ть одному́ ску́чно, поэ́тому я захожу́ за подру́гой, кото́рая живёт в двух шага́х от меня́. Когда́ мы хо́дим по па́рку, мы встреча́ем знако́мых, подхо́дим к ним, здоро́ваемся, разгова́риваем. В це́нтре па́рка нахо́дится прекра́сное о́зеро, мы обхо́дим его́ не́сколько раз: так прия́тно любова́ться его́ споко́йной водо́й и прекра́сным ви́дом вокру́г! Из о́зера вытека́ет река́, кото́рую мы перехо́дим че́рез мост, что́бы попа́сть к небольшо́му кафе́, куда́ мы захо́дим, пьём ко́фе и еди́м вку́сные пиро́жные. Пото́м мы выхо́дим из кафе́ и прохо́дим ми́мо павильо́на цвето́в. Бы́стро стано́вится темно́, и мы возвраща́емся домо́й.

Готовимся к разговору

Я вошёл в дом. ↔ Я вы́шел из до́ма.
Я пришёл домо́й. ↔ Я ушёл из до́ма.
Я подошёл к теа́тру. ↔ Я отошёл от теа́тра.

Задание 1. Скажите, что они делают или сделали.

Задание 2. Составьте рассказ по картинкам.

Задание 3. Составьте диалоги по модели:

Модель: Эрмита́ж — тролле́йбус № 10.

    — Скажи́те, пожа́луйста, как добра́ться до Эрмита́жа?

    — Лу́чше всего́ на деся́том тролле́йбусе.

Ру́сский музе́й — метро́.   Цирк — трамва́й № 12.

Петерго́ф — электри́чка.   Марии́нский теа́тр — трамва́й № 1.

Ме́ньшиковский дворе́ц — авто́бус № 7.

Задание 4. Прочита́йте диалоги про себя. Прослушайте их в записи. Прочита́йте их вслух. Попробуйте составить подобные.

1. — Скажи́те, пожа́луйста, как мне **дое́хать** до Эрмита́жа?

    — Сади́тесь на авто́бус № 7.

2. — Скажи́те, пожа́луйста, как мне **добра́ться** до це́нтра го́рода?

    — Лу́чше всего́ на метро́.

3. — Вы не ска́жете, как мне **попа́сть** на Дворцо́вую пло́щадь?

    — Туда́ идёт тролле́йбус № 10.

4. — Вы **выхо́дите** на сле́дующей остано́вке?

    — Нет, я **выхожу́** че́рез одну́.

5. — Мне нужна́ остано́вка «Университе́т», вы не ска́жете, когда́ мне **выходи́ть?**

    — Вам на́до **вы́йти** че́рез три остано́вки.

6. — Прости́те, вы не ска́жете, как мне **дойти́** до ци́рка?

    — Пешко́м о́чень далеко́. Быстре́е всего́ на маршру́тном такси́ № 60.

    — А где оно́ остана́вливается?

    — За угло́м э́того до́ма.

7. — Вы не зна́ете, где нахо́дится Большо́й драмати́ческий теа́тр?

    — Это в двух шага́х отсю́да. **Иди́те** пря́мо до перекрёстка, а пото́м **поверни́те** напра́во.

8. — Вы не зна́ете, как нам **дое́хать** до Па́вловска?

    — Вам на́до **е́хать** на электри́чке от Ви́тебского вокза́ла.

    — А как **добра́ться** до вокза́ла?

    — Очень про́сто. Он нахо́дится о́коло ста́нции метро́ «Пу́шкинская». **Сади́тесь** на метро́ и на четвёртой остано́вке **выходи́те.**

9. — Извини́те, пожа́луйста, мы пе́рвый раз в Петербу́рге и не зна́ем, как нам **попа́сть** на Васи́льевский о́стров.

    — Вам на́до **е́хать** до ста́нции «Маяко́вская», а пото́м **сде́лать переса́дку** на другу́ю ли́нию и **е́хать** ещё две остано́вки.

    — Спаси́бо.

Задание 5. Прочитайте диалоги про себя, обратите внимание на выделенные слова и словосочетания, типичные для русской разговорной речи. Прослушайте диалоги в записи. Прочитайте их вслух. Придумайте продолжение этих диалогов.

Диалог 1

— Джон, ты, наве́рное, уже́ уста́л. Мы сего́дня **обошли́ пол-Петербу́рга**.

— **Че́стно говоря́**, уста́л ужа́сно. Мо́жет быть, мы мо́жем на чём-нибудь дое́хать до гости́ницы?

— Дава́й возьмём такси́. Или дойдём до угла́ и ся́дем на **маршру́тку**.

— Пое́дем лу́чше на трамва́е и́ли на авто́бусе. Я ещё ни ра́зу не е́здил здесь на городско́м тра́нспорте.

— **Ну, ла́дно.** Тогда́ мы должны́ перейти́ на другу́ю сто́рону и сесть на деся́тый тролле́йбус. Он идёт до гости́ницы «Москва́».

— Серге́й, я совсе́м забы́л, мне обяза́тельно ну́жно обменя́ть де́ньги.

— **Ничего́ стра́шного.** «Деся́тка» идёт ми́мо ба́нка. Мы прое́дем две остано́вки, вы́йдем, зайдём в банк, а пото́м сно́ва ся́дем на тролле́йбус и пое́дем да́льше.

Диалог 2

— Скажи́те, пожа́луйста, я дое́ду на э́том авто́бусе до «Василеостро́вской»?

— Да, коне́чно. Вам ну́жно вы́йти че́рез четы́ре остано́вки.

— **А вы не ска́жете,** как заплати́ть за прое́зд и ско́лько сто́ит биле́т? Я иностра́нец и е́ду на авто́бусе пе́рвый раз.

— У нас в авто́бусах, тролле́йбусах и трамва́ях есть конду́ктор. **Про́сто** да́йте ему́ де́ньги, и он даст вам биле́т. А ско́лько вре́мени вы бу́дете в Петербу́рге?

— Я прие́хал на полтора́ ме́сяца.

— О, тогда́ вам лу́чше купи́ть на ме́сяц **ка́рточку**.

— А что э́то тако́е?

— Э́то специа́льный биле́т, кото́рый мо́жно купи́ть на ста́нциях метро́ и́ли в специа́льных кио́сках. И тогда́ вы мо́жете це́лый ме́сяц е́здить на всех ви́дах тра́нспорта по всему́ го́роду. Э́то и деше́вле, и удо́бнее.

— А как им по́льзоваться?

— Когда́ мы вхо́дим в авто́бус, тролле́йбус и́ли трамва́й, мы пока́зываем ка́рточку конду́ктору.

— Да, э́то о́чень удо́бно. Спаси́бо за сове́т.

Зада́ние 6. Посмотри́те на ка́рту (с. 75). Скажи́те, как и на чём мо́жно добра́ться до:

Моско́вского вокза́ла, аэропо́рта, ста́нции метро́ «Садо́вая», дворца́ спо́рта «Юбиле́йный», Марии́нского теа́тра, гости́ницы «Асто́рия», Армя́нской це́ркви.

Зада́ние 7. Объясни́те, как вы понима́ете сле́дующие фразеологи́змы: *идти́ куда́ глаза́ глядя́т, заблуди́ться в трёх со́снах, язы́к до Ки́ева доведёт.* **Приду́майте ситуа́ции, в кото́рых их мо́жно употреби́ть.**

Зада́ние 8. Посмотри́те на рису́нки. Назови́те де́йствующих лиц э́той

истории. Как вы поняли, что произошло с иностранным туристом, который хотел узнать дорогу в музей? Задайте друг другу вопросы к этим рисункам. Составьте к ним диалоги. Расскажите (напишите) на основе рисунков всю историю. Придумайте её название.

Давайте поговорим!

1. Какой вид транспорта вам нравится больше и почему?

2. С какими транспортными проблемами вы сталкивались?

3. Что лучше, с вашей точки зрения: общественный транспорт или личный автомобиль?

4. Почему в последнее время популярным видом транспорта стал велосипед?

5. Как вы предпочитаете путешествовать: на самолёте, на поезде или на корабле? Почему?

Повторение — мать учения

*Слова и словосочетания, которые помогут вам поговорить
о транспорте и путешествиях*

ТРА́НСПОРТ (городско́й, обще́ственный)

ДОЙТИ́, ДОЕ́ХАТЬ, ДОБРА́ТЬСЯ (*до чего? на чём?*)

САДИ́ТЬСЯ/СЕСТЬ (*на что?*)

Е́ХАТЬ, ЛЕТЕ́ТЬ (*на чём?*)

ПОПА́СТЬ В ПРО́БКУ

Е́ХАТЬ ДО КОЛЬЦА́, ДО КОНЕ́ЧНОЙ ОСТАНО́ВКИ

СДЕ́ЛАТЬ ПЕРЕСА́ДКУ

Е́ХАТЬ БЕЗ ПЕРЕСА́ДКИ

(ско́лько мину́т) ХОДЬБЫ́, ЕЗДЫ́

БЫТЬ, НАХОДИ́ТЬСЯ В ДВУХ ШАГА́Х, В ТРЁХ ОСТАНО́ВКАХ (*от чего?*)

ВЫХОДИ́ТЬ (на сле́дующей остано́вке, че́рез одну́ остано́вку)

ПОВОРА́ЧИВАТЬ/ПОВЕРНУ́ТЬ (нале́во, напра́во)

БРАТЬ/ВЗЯТЬ (такси́)

МАРШРУ́ТНОЕ ТАКСИ́ (МАРШРУ́ТКА)

ЭЛЕКТРИ́ЧКА

ПЛАТИ́ТЬ/ЗАПЛАТИ́ТЬ ЗА ПРОЕ́ЗД

КА́РТОЧКА (еди́ная, на ме́сяц, на 20 пое́здок)

**Используя слова, словосочетания и грамматический материал темы,
выполните следующие задания.**

**Задание 1. Прочитайте предложения. Перепишите их, замените
выделенные бесприставочные глаголы глаголами с приставками. Если
возможны варианты, напишите их.**

Модель: Вчера́ ве́чером я звони́л тебе́, но тебя́ не́ было до́ма. Куда́ ты **ходи́л**?
— Вчера́ ве́чером я звони́л тебе́, но тебя́ не́ было до́ма.
Куда́ ты **уходи́л**?

1. Ма́шенька, дорога́я! Спаси́бо за прекра́сный ве́чер, но нам пора́ **идти́**.
2. Твой по́езд в 11, зна́чит, ты до́лжен **идти́** из до́ма в 9.45. 3. Какой-то челове́к

ждёт вас в коридо́ре, вам ну́жно **идти́** и посмотре́ть, кто э́то. 4. За́втра у Ви́ктора день рожде́ния. Мы **идём** его́ поздравля́ть? 5. Обы́чно ле́том мы **е́здили** в Крым. 6. Мы ви́дели, как он **шёл** к остано́вке авто́буса. 7. Обы́чно по доро́ге домо́й я **шёл** в магази́н, покупа́л что́-нибудь на у́жин. 8. Когда́ вы **идёте** че́рез у́лицу, бу́дьте, пожа́луйста, осторо́жны. 9. Мы жда́ли уже́ 20 мину́т, а он не **шёл**. 10. Я покажу́ вам мой дом, когда́ мы бу́дем **е́хать** ми́мо. 11. Пе́ред тем как **идти́** в кабине́т дире́ктора, ну́жно постуча́ть.

Зада́ние 2. Перепиши́те предложе́ния, замени́в вы́деленные слова́ глаго́лами движе́ния с приста́вками и без приста́вок.

Моде́ль: Во вре́мя **пое́здки** в Петербу́рг с на́ми был перево́дчик.
— Когда́ мы е́здили в Петербу́рг, с на́ми был перево́дчик.

1. По э́той у́лице нет **прое́зда**, иду́т ремо́нтные рабо́ты. 2. Мне о́чень понра́вился Но́вгород. Жаль, что э́та **пое́здка** была́ то́лько 2 дня. 3. **Вы́езд** экспеди́ции за́втра в 9 часо́в утра́. 4. Как вы чу́вствовали себя́ во вре́мя **полёта**? 5. Отца́ нет, он в **отъе́зде**. 6. Все бы́ли ра́ды твоему́ **прихо́ду**. 7. Пе́ред **ухо́дом** я позвони́л на вокза́л. 8. **Прие́зд** президе́нта в Петербу́рг был неожи́данным. 9. Ле́том он плани́рует **пое́здку** в Пра́гу. 10. Никто́ не заме́тил его́ **ухо́да**. 11. У **вхо́да** в зал контролёр проверя́ет биле́ты.

Зада́ние 3. Отреаги́руйте на ре́плику-сти́мул, испо́льзуя глаго́лы движе́ния.

Моде́ль: Как интере́сно бы́ло в Эрмита́же!
— А когда́ ты ходи́л туда́?

1. Серге́й вчера́ был у меня́. 2. Ната́ши сейча́с нет в го́роде. 3. Ма́ша уже́ верну́лась из библиоте́ки. 4. За́втра в э́то вре́мя я бу́ду уже́ до́ма. 5. Вчера́ я не́ был на после́дней ле́кции. 6. Ве́чером у нас го́сти. 7. За́втра суббо́та, что ещё интере́сного мо́жно посмотре́ть в Петербу́рге?

Зада́ние 4. Согла́сны ли вы с тем, что «у домосе́да то́лько оди́н мир, у путеше́ственника — ты́сячи». Аргументи́руйте свою́ то́чку зре́ния.

Зада́ние 5. Ваш друг прие́хал в ваш родно́й го́род. Соста́вьте для него́ культу́рную програ́мму. Объясни́те, почему́ ну́жно посмотре́ть и́менно э́ти достопримеча́тельности.

Внеклассное чтение

ПЕТЕРБУРГСКИЙ ТРАМВАЙ

Петербург называют трамвайной столицей мира. Наш город занесён в Книгу рекордов Гиннесса как «самый трамвайный» город мира. Трудно сейчас представить себе северную столицу без привычных вагончиков, бегающих по улицам, набережным и переулкам.

Один из первых видов общественного городского транспорта имеет свою историю. «Предок» трамвая, конка, прошёл по улицам

нашего города 27 октября 1863 года. Петербургская газета «Северная пчела» в № 193 за 1863 год сообщала: «В воскресенье в три часа дня двинулся от Николаевского моста первый пассажирский поезд, состоящий из двух вагонов. Поезда будут ходить каждые полчаса от вокзала Николаевской железной дороги до Дворцового моста и обратно. Вагоны очень хороши и просторны, езда спокойна, цены умеренны — 5 копеек внутренние места, 3 копейки наружные. Проезд со всеми остановками занимает четверть часа».

В 80-е годы XIX века на смену конке пришёл паровой трамвай. Регулярное движение было начато в июне 1886 года. Однако у паровых трамваев было много недостатков. Они были очень шумными, загрязняли воздух и поэтому не пользовались популярностью. В 1899 году по Невскому проспекту вместе с конными вагонами городской конно-железной дороги пошли первые электрические вагоны, которые стали называть «электрическая конка». Именно этот вид транспорта и стал с начала XX века самым популярным и любимым у горожан.

Трамвай долгое время успешно помогал решать транспортные проблемы почти пятимиллионного города. Но время проходит, и привычный, любимый петербуржцами трамвай уже начинает мешать развитию дорожного движения. Технический прогресс идёт вперёд, ритм жизни увеличивается, а средняя скорость городского трамвая сегодня —

20 км/час. Не улучшают трамвайные пути и качества наших магистралей, которые за последние годы стали очень опасными: не менее тридцати процентов всех дорожно-транспортных происшествий связано с плохим качеством дорог.

Несмотря на протесты любителей старейшего вида городского транспорта, медленное «выдавливание» трамвая из центра города идёт уже несколько лет, да и общая протяжённость трамвайных линий постоянно уменьшается. Неужели трамвай скоро станет музейным экспонатом?

Нет, трамвай ещё можно будет увидеть на петербургских дорогах: по плану городского правительства будет реализовываться программа развития скоростного трамвайного движения.

Каким же будет новый петербургский трамвай? Во-первых, модернизированные вагоны будут «летать» со скоростью 60 км/час. Чтобы поддерживать такой режим движения, трамвайные пути отделят от тротуаров специальным забором и реконструируют все светофоры. Подъезжая к перекрёстку, трамвай будет автоматически переключать светофор на зелёный свет. Во-вторых, «ускоренный трамвай» станет частью единой скоростной сети метро и пригородных электричек. Кроме того, петербургскому трамваю вернут давнюю традицию маршрутных огней, когда каждому маршруту соответствовало своё сочетание цветов. Обозначение трамвайных поездов цветными маршрутными огнями применялось в Петербурге с 1910 года. Это одна из уникальных традиций Санкт-Петербурга, которой не было ни в одном другом городе бывшего СССР.

8

В РЕСТОРАНЕ

Задание1.

Скажи́те, ча́сто ли вы хо́дите в рестора́ны? Нра́вится ли вам ру́сская ку́хня? Каки́е блю́да ру́сской ку́хни вы про́бовали? Зна́ете ли вы, что обы́чно едя́т в Росси́и на за́втрак, на обе́д (на пе́рвое, на второе, на тре́тье), на у́жин? Каки́е ру́сские национа́льные напи́тки вы зна́ете? Уме́ете ли вы гото́вить са́ми? Как вы понима́ете погово́рку: *аппети́т прихо́дит во вре́мя еды́?*

Официа́нт **несёт** нам заку́ски.

Я всегда́ **ношу́** с собо́й креди́тную ка́рточку.

Друзья́ **веду́т** меня́ в рестора́н.

Друг **во́дит** нас по рестора́нам.

Маши́на **везёт** проду́кты в магази́н.

Ка́ждое воскресе́нье мы **во́зим** дете́й за́ город.

На́до бы́ло е́хать с переса́дкой.

Он смог сде́лать всё во́время.

Ива́н спроси́л, **люблю́ ли** я молоко́.

Прочитайте текст. Обратите внимание на выделенные конструкции.

На́до перекуси́ть

Лю́бите ли вы путеше́ствовать? А вот на́ши геро́и лю́бят. Действи́тельно, де́лу — вре́мя, а поте́хе — час, как говори́т ру́сская посло́вица. **Кла́усу** то́же не сиди́тся на ме́сте. Он зако́нчил свои́ дела́ и пое́хал... в Петербу́рг. Опя́ть в Петербу́рг! Когда́ он лете́л в самолёте, он вспомина́л го́род, кото́рый тепе́рь забы́ть невозмо́жно: «Я верну́лся в мой го́род, знако́мый до слёз...»

Да, го́род стал почти́ родны́м. Он сто́лько уже́ ви́дел, сто́лько узна́л! Но всё равно́ на́до поду́мать о том, что ещё посмотре́ть и где ещё побыва́ть.

Но снача́ла на́до перекуси́ть. Как же называ́ется тот рестора́н, в кото́рый его́ **води́л** Ива́н Петро́вич? Како́е-то о́чень ру́сское назва́ние... Или «Кали́нка», и́ли «Тро́йка»...

На Не́вском проспе́кте Кла́ус уви́дел хорошо́ знако́мое назва́ние — «Литерату́рное кафе́». «А ведь здесь то́же хорошо́ гото́вят», — поду́мал он и вошёл в кафе́. У окна́ был свобо́дный сто́лик. Он сел и посмотре́л меню́. На пе́рвой страни́це он прочита́л: «Заку́ски». Како́й большо́й вы́бор! Мо́жет быть, взять сала́т «Столи́чный»? Да, э́то лу́чше всего́. А что на пе́рвое? Борщ, щи, соля́нка, окро́шка, грибно́й суп, уха́... Что же тако́е уха́? На́до спроси́ть у официа́нта. Так, что на второ́е? Котле́та по-ки́евски, голубцы́, блины́ с мя́сом, пельме́ни, шашлы́к из осетри́ны.... Пожа́луй, блины́. Тепе́рь напи́тки. Не попро́бовать ли квас и́ли лу́чше взять минера́льную во́ду? Да, лу́чше минера́льную без га́за.

Официа́нт **принёс** сала́т и минера́льную во́ду и сказа́л, что горя́чее придётся подожда́ть — мину́т 10–15. Че́рез 15 мину́т пе́рвое и второ́е блю́да бы́ли гото́вы. Всё бы́ло о́чень вку́сно. То́лько сейча́с Кла́ус по́нял, как он проголода́лся. Не взять ли ещё десе́рт? Пра́вду говоря́т, что аппети́т прихо́дит во вре́мя еды́. Он позва́л официа́нта, заказа́л ко́фе с пиро́жным и попроси́л счёт.

По́сле обе́да Кла́ус реши́л немно́го прогуля́ться. Он пошёл по на́бережной реки́ Мо́йки и уви́дел экскурсио́нные теплохо́ды, кото́рые **во́зят** тури́стов по ре́кам и кана́лам го́рода. Отли́чная иде́я! В про́шлый прие́зд **ему́ не удало́сь** попа́сть на экску́рсию «Мосты́ и кана́лы Петербу́рга». Он подошёл к ка́ссе, купи́л биле́т, сел на теплохо́д, и экску́рсия начала́сь.

Отве́тьте на вопро́сы:

1. Куда́ пое́хал Кла́ус? 2. Почему́ он реши́л пое́хать в Петербу́рг? 3. В какой рестора́н его́ води́л Ива́н Петро́вич? 4. А где пообе́дал Кла́ус? 5. Что он взял на заку́ску? 6. Кла́ус не зна́ет, что тако́е уха́. А вы зна́ете? 7. Что он взял на второ́е? 8. Како́й он вы́брал напи́ток? 9. Почему́ он реши́л взять и десе́рт? 10. Куда́ он пое́хал по́сле обе́да? 11. Как вы понима́ете погово́рки: *де́лу — вре́мя, поте́хе — час* и *аппети́т прихо́дит во вре́мя еды́*?

нести́ — носи́ть
везти́ — вози́ть
вести́ — води́ть

Упражнение 1. Вставьте вместо точек нужный глагол.

Модель: Куда́ идёт э́тот ма́льчик с соба́кой? — Он ... её гуля́ть в парк.
— Он ведёт её гуля́ть в парк.

1. Куда́ идёт э́та де́вушка с кни́гами? — Она́ ... их в библиоте́ку. 2. Куда́ е́дут э́ти маши́ны с фру́ктами? — Они́ ... фру́кты на ры́нок. 3. Куда́ идёт э́тот экскурсово́д с тури́стами? — Он ... тури́стов в Эрмита́ж. 4. Куда́ е́дет э́та же́нщина с ребёнком? — Она́ ... ребёнка к врачу́. 5. Куда́ идёт мужчи́на с цвета́ми? — Он ... их на день рожде́ния жене́. 6. Куда́ иду́т Том с бра́том? — Том ... бра́та на вы́ставку. 7. Куда́ идёт почтальо́н с газе́тами и журна́лами? — Он ... нам газе́ты и журна́лы. 8. Куда́ идёт э́тот официа́нт с заку́сками? — Он ... заку́ски в банке́тный зал. 9. К кому́ идёт э́та де́вушка с то́ртом? — Она́ ... торт подру́ге.

Упражнение 2. Вставьте вместо точек глаголы *нести — носить, везти — возить, вести — водить.*

1. В выходны́е дни мой друг ... роди́телей на да́чу. 2. Он ... ребёнка в зоопа́рк. 3. Я всегда́ ... докуме́нты с собо́й. 4. Вот идёт моя́ подру́га. В рука́х она́ ... большо́й торт. 5. Официа́нт ... наш зака́з. 6. Обы́чно он ... на уро́к слова́рь. 7. Я е́ду в Га́мбург и ... сувени́ры свои́м друзья́м. 8. Экскурсово́ды ... тури́стов по музе́ю. 9. Сего́дня я ... сестру́ на бале́т.

Нёс, несла́, несли́ — носи́л (-а, -и)
Вёз, везла́, везли́ — вози́л (-а, -и)
Вёл, вела́, вели́ — води́л (-а, -и)

Упражнение 3. Выберите нужный глагол (прошедшее время).

1. Я встре́тил дру́га, кото́рый ... большу́ю корзи́ну с гриба́ми.   нёс — носи́л
   Вчера́ он ... часы́ в ремо́нт.

2. В воскресе́нье Ле́на ... бра́та в ку́кольный теа́тр.   вёл — води́л
   Анто́н шёл в бассе́йн и ... с собо́й бра́та.

3. В про́шлое воскресе́нье она́ ... дете́й в Петерго́ф.   вёз — вози́л
   По у́лице е́хала маши́на, кото́рая ... слона́ в зоопа́рк.

4. В суббо́ту Ви́ктор ... статью́ реда́ктору.   нёс — носи́л
   Когда́ он ... статью́ реда́ктору, он встре́тил Людми́лу.

5. В про́шлом году́ мы ... дете́й на юг.   вёз — вози́л
   Мари́на купи́ла компью́тер. Домо́й она́ ... его́ на маши́не.

Мне прихо́дится мно́го рабо́тать.
— Мне пришло́сь пое́хать туда́.
— Мне придётся реша́ть э́ту пробле́му.

Ему́ удаётся всё де́лать бы́стро.
— Ему́ удало́сь сдать все экза́мены ра́ньше.
— Ему́ не уда́стся перевести́ э́тот текст без словаря́.

Упражнение 4. Закончите фразы, используя предложенные выше конструкции.

1. Вчера́ це́лый день шёл дождь, и ... .
2. Мы не купи́ли биле́ты на самолёт, поэ́тому... .

3. Ольга мало занималась в этом году, и ... .

4. Рамон очень хотел посмотреть футбол, но ... .

5. В нашей аптеке не было этого лекарства, и ... .

6. У меня сегодня очень много работы, поэтому ... .

7. У него плохая память, и ... .

8. У Наташи нет машины, поэтому ... .

Бабушка спросила: «Ты будешь обедать?»
— Бабушка спросила, буду ли я обедать.

Упражнение 5. Измените предложения, используя предложенный образец.

1. Иван Петрович спросил: «Вы купили билеты в Москву?» 2. Клаус спросил официанта: «У вас есть пиво?» 3. Ирена спросила туристов: «Вы хотите пойти в Мариинский театр?» 4. Том спросил Хуссейна: «Ты часто звонишь домой?» 5. Иван Петрович спросил Рамона: «Барселона — большой город?» 6. Сирпа спросила Жана: «Ты будешь изучать русский язык?» 7. Аня спросила: «Мама, мы пойдём в гости?» 8. Нина спросила: «Тебе нравятся русские народные песни?»

Интересно, будет ли завтра дождь.
Я не поеду в Петергоф, если будет дождь.

Упражнение 6. Закончите предложения, выбрав информацию справа.

Я хотел узнать	если сможет купить билет
Я позвоню тебе	сделал ли ты домашнее задание
Маша спросила	если у меня будет время
Сергей пойдёт в театр	купил ли Джон цветы
Мне интересно	видел ли этого человека раньше
Он не сможет перевести текст	если ты купишь продукты
Непонятно	если у него нет словаря
Я не помню	говорил ли он правду
Я приготовлю ужин	понравился ли тебе балет

Задание 1. Прочитайте меню одного из ресторанов Петербурга. Скажите, какие блюда вы хотите заказать на закуску, на первое, на второе. Что вы возьмёте на десерт?

ЗАКУ́СКИ
Сала́т «Оливье́»
Селёдка «под шу́бой»
Сала́т овощно́й
Икра́ кра́сная
Мясно́е ассорти́
Ры́ба заливна́я

ПЕ́РВЫЕ БЛЮ́ДА
Щи боя́рские
Борщ
Рассо́льник
Уха́ монастырская
Грибно́й суп
Окро́шка

ВТОРЫ́Е БЛЮ́ДА
Котле́ты пожа́рские
Голубцы́
Бефстро́ганов
Антреко́т
Эскало́п
Ры́ба в кля́ре

ГАРНИ́Р
Карто́фель фри
Карто́шка по-дома́шнему
Рис
Гре́ча

ДЕСЕ́РТ
Моро́женое с фру́ктами
Пиро́жные
Клубни́ка со сли́вками

НАПИ́ТКИ

Безалкого́льные
Ру́сский квас
Компо́т из фру́ктов
Минера́льная вода́
Со́ки в ассортиме́нте
Ко́ка-ко́ла
Ко́фе
Чай

Алкого́льные
Во́дка «Столи́чная»
Конья́к армя́нский
Марти́ни
Вино́ кра́сное
Вино́ бе́лое

Задание 2. Назовите своё любимое национальное блюдо. Расскажите, как его можно приготовить.

Задание 3. Скажите, для чего нужны эти предметы?

Чайник, кофейник, салатник, молочник, сахарница, хлебница, солонка, маслёнка.

Задание 4. а) Ответьте на приглашение отказом. В ответе употребите одно из следующих выражений: *я только что поел (пообедал, позавтракал, поужинал); я сыт по горло; я больше не могу; я не ем (не пью) этого никогда; ни в коем случае не буду; терпеть не могу... .*

Модель: — Вы не поужинаете с нами?
           — Спасибо, я только что поужинал.

1. Садитесь с нами обедать.
2. Вам налить чашечку чая?
3. Не хотите ещё кофе?
4. Попробуйте это пирожное.
5. Может быть, бокал вина?
6. Хотите, я возьму вам сок?

б) Ответьте на приглашение согласием. В ответе употребите одно из следующих выражений: с *удовольствием; не откажусь; только чуть-чуть, пожалуйста*.

Модель: — Хотите, я налью вам чашечку кофе?
            — Спасибо. С удовольствием.

1. Вы не хотите мороженого?
2. Пойдёмте с нами ужинать.
3. Садитесь с нами обедать.
4. Хотите рюмку коньяку?
5. Может, взять вам пирожок?
6. Положить вам салата?

Задание 5. Объясните, как вы понимаете следующие поговорки: *путь к сердцу мужчины лежит через желудок, сыт по горло, голодный как волк*. Придумайте ситуации, в которых их можно употребить.

Задание 6. Расскажите, что вы обычно готовите, когда у вас гости.

Задание 7. Прочитайте диалоги про себя, обратите внимание на выделенные слова и словосочетания, типичные для русской разговорной речи. Прослушайте диалоги в записи. Прочитайте их вслух.

Диалог 1

— Люда, ты ещё не проголодалась? Может, сходим куда-нибудь, пообедаем?
— Пойдём, а куда? В нашу столовую?
— В столовую не хочу. **Надоело.** Недалеко от нашего офиса открылось новое кафе. Пойдём туда! Недавно мы были там с Димой, и мне очень понравилось. Там очень вкусно и недорого.
— А там уютно?
— Очень. Ну что? Идём?
— Идём.
В кафе.
— Давай сядем за тот столик, у окна. Будьте добры, меню.
— Посмотрим, что нам предлагают.
— Так... Первое я брать не буду. Возьму только овощной салат и эскалоп.

— А я возьму́ сала́т, бульо́н с пирожка́ми, на второ́е бефстро́ганов с жа́реной карто́шкой. **Обе́дать так обе́дать.**

— А пить что бу́дем? **Не пить же чай** в таку́ю жару́!

— А я с удово́льствием вы́пью ча́шку ча́я с лимо́ном. Говоря́т, в жару́ хорошо́ и́менно чай.

— Ла́дно, ты бери́ чай, а я **минера́лку без га́за.**

— Бу́дьте добры́, прими́те зака́з. Мы уже́ всё вы́брали. Нам, пожа́луйста, оди́н бульо́н с пирожка́ми, два сала́та из помидо́ров и огурцо́в, эскало́п, одну́ по́рцию бефстро́ганов с жа́реной карто́шкой, ча́шку ча́я без са́хара и буты́лку минера́льной без га́за. Да, **чуть не забы́л** гарни́р к эскало́пу. А не взять ли мне макаро́ны?Да, пожа́луйста, макаро́ны. Тепе́рь, по-мо́ему, всё.

Диалог 2

— Ты отку́да? Из столо́вой?

— Да, ходи́л пообе́дать.

— Ну и как обе́д?

— Ну, **как сказа́ть... Обе́д как обе́д.** Ничего́ осо́бенного. Взял **па́ру** соси́сок с гарни́ром и сала́т, а на тре́тье ватру́шку с ча́ем. Вот ватру́шка мне понра́вилась. Е́сли пойдёшь, сове́тую взять.

— Значит, **замори́л червячка́.**

— Да, **перекуси́л.**

— Пойду́ и я пое́м.

— Прия́тного аппети́та!

Зада́ние 8. Соста́вьте небольши́е расска́зы, испо́льзуя ле́ксику уро́ка и сле́дующие слова́ и выраже́ния:

1. Отмеча́ть день рожде́ния; пригласи́ть госте́й; дари́ть пода́рки, цветы́; жела́ть сча́стья и здоро́вья; пригото́вить, накры́ть стол; угоща́ть друзе́й, па́льчики обли́жешь; танцева́ть, ве́село провести́ вре́мя.

2. Го́лоден как волк, мно́го слы́шать о ... , про́бовать (попро́бовать), официа́нт, принести́, меню́, заказа́ть, на заку́ску, на горя́чее, на десе́рт, ча́шечка ко́фе, бока́л шампа́нского, вку́сно, попроси́ть счёт, оплати́ть.

Задание 9. Посмотрите на рисунки. Назовите действующих лиц этой истории. Задайте друг другу вопросы по каждому рисунку. Скажите, что хотел приготовить герой этой истории? Расскажите (напишите) на основе рисунков всю историю. Расскажите (напишите) эту историю от лица одного из героев, скажите, как вы поступили бы на его месте. Придумайте название этой истории.

Давайте поговорим!

1. Как вы предпочитаете отмечать день рождения: ходить в ресторан или приглашать гостей домой? Почему?

2. Как в вашей семье принимают гостей, что готовят, как накрывают на стол?

3. Кухня какой страны вам особенно нравится? Почему?

4. Какие рестораны популярны у вас в стране и почему?

5. Нравятся ли вам рестораны типа «Макдоналдс»?

6. Почему в последнее время так много вегетарианцев?

7. Как вы относитесь к диетам?

Повторение — мать учения

Слова и словосочетания, которые помогут вам поговорить о питании, особенностях национальной кухни, о ресторанах и кафе

ЕСТЬ/СЪЕСТЬ (ПОЕ́СТЬ) (что?)

ПИТЬ/ВЫ́ПИТЬ (ПОПИ́ТЬ) (что?)

ЗА́ВТРАКАТЬ/ПОЗА́ВТРАКАТЬ; ОБЕ́ДАТЬ/ПООБЕ́ДАТЬ; У́ЖИНАТЬ/ПОУ́ЖИНАТЬ

ЗАМОРИ́ТЬ ЧЕРВЯЧКА́, ПЕРЕКУСИ́ТЬ, ПРОГОЛОДА́ТЬСЯ

ГОТО́ВИТЬ/ПРИГОТО́ВИТЬ (что?)

КОРМИ́ТЬ/НАКОРМИ́ТЬ (кого?)

РЕСТОРА́Н, КАФЕ́, СТОЛО́ВАЯ, БЛИ́ННАЯ, ПИРОЖКО́ВАЯ

ЗАКА́ЗЫВАТЬ/ЗАКАЗА́ТЬ; СДЕ́ЛАТЬ ЗАКА́З

БРАТЬ/ВЗЯТЬ НА ЗАКУ́СКУ, НА ПЕ́РВОЕ, НА ВТОРО́Е, НА ТРЕ́ТЬЕ, НА ДЕСЕ́РТ; НА ГОРЯ́ЧЕЕ, НА ГАРНИ́Р

ЗАКУ́СКИ: САЛА́Т ИЗ ОВОЩЕ́Й (ОВОЩНО́Й, МЯСНО́Й... САЛА́Т), ГРИБЫ́, СОЛЁНЫЕ ОГУРЦЫ́

ПЕ́РВЫЕ БЛЮ́ДА: БОРЩ, ЩИ, КУРИ́НЫЙ СУП, ГРИБНО́Й СУП, РЫ́БНЫЙ СУП, УХА́, ОВОЩНО́Й СУП, БУЛЬО́Н С ПИРОЖКА́МИ, ОКРО́ШКА, РАССО́ЛЬНИК

ВТОРЫ́Е БЛЮ́ДА: КОТЛЕ́ТЫ, ПЕЛЬМЕ́НИ, АНТРЕКО́Т, ЭСКАЛО́П, ГОЛУБЦЫ́, БЕФСТРО́ГАНОВ, РЫ́БА, БЛИНЫ́ С МЯ́СОМ (С ИКРО́Й, С ВАРЕ́НЬЕМ ...), ОЛА́ДЬИ, ШАШЛЫ́К

ГАРНИ́Р: КАРТО́ШКА, МАКАРО́НЫ, РИС, О́ВОЩИ

ДЕСЕ́РТ: МОРО́ЖЕНОЕ, ПИРО́ЖНОЕ, ПИРОЖО́К, ВАТРУ́ШКА

ВАРИ́ТЬ/СВАРИ́ТЬ; ЖА́РИТЬ/ПОЖА́РИТЬ; ПЕЧЬ/ИСПЕ́ЧЬ

СЛА́ДКИЙ, ГО́РЬКИЙ, СОЛЁНЫЙ, КИ́СЛЫЙ, ПРЕ́СНЫЙ, О́СТРЫЙ
(НЕ)ВКУ́СНЫЙ, СЫ́ТНЫЙ, ПРОСТО́Й, ИЗЫ́СКАННЫЙ
СЛАДКОЕ́ЖКА, ОБЖО́РА
ПРИНИМА́ТЬ ГОСТЕ́Й, НАКРЫВА́ТЬ НА СТОЛ
ПРИЯ́ТНОГО АППЕТИ́ТА!
ПА́ЛЬЧИКИ ОБЛИ́ЖЕШЬ!

Используя слова, словосочетания и грамматический материал темы, выполните следующие задания.

Задание 1. Прочитайте текст. Выпишите названия русских блюд, которые вы встретили впервые. Есть ли в вашей национальной кухне подобные блюда?

Ру́сская ку́хня

Ру́сская ку́хня! Вы, коне́чно, слы́шали о ней. Ру́сские рестора́ны есть во всех стра́нах ми́ра.

Что тако́е ру́сская ку́хня, чем она́ отлича́ется от всех други́х, что в ней осо́бенного? Тру́дно отве́тить на э́ти вопро́сы. Ру́сских национа́льных блюд так мно́го, что тру́дно да́же перечи́слить их.

Ну где вы встре́тите таки́е холо́дные заку́ски, как марино́ванные и солёные грибы́, винегре́т, зерни́стая икра́, севрю́га, поросёнок заливно́й, сельдь с гарни́ром!

Пе́рвые блю́да. Для на́шей ку́хни гла́вными явля́ются: щи, борщ и уха́.

Ру́сские о́чень лю́бят щи. Они́ едя́т щи све́жие, щи ки́слые. Что тако́е щи? Э́то суп из капу́сты, там есть немно́го карто́феля, морко́ви и тома́та. Попро́буйте све́жие щи со смета́ной, они́ должны́ понра́виться вам.

Ки́слые щи осо́бенно хороши́ на второ́й день по́сле их приготовле́ния, а све́жие — вкусны́ сра́зу же с плиты́. Борщ гото́вят из овоще́й. В него́ кладу́т свёклу, капу́сту, карто́фель, морко́вь, фасо́ль, помидо́ры, лук, петру́шку, укро́п.

Вторы́е блю́да. Для ру́сской ку́хни характе́рны и ры́бные, и мясны́е, и грибны́е блю́да. Я вам о́чень сове́тую попро́бовать не́которые из них: грибы́ в смета́не, поросёнка с гре́чневой ка́шей, кури́ные котле́ты, гуся́ с я́блоками, пельме́ни.

Что тако́е пельме́ни? Э́то фарш в те́сте. Фарш де́лают из говя́дины, свини́ны, бара́нины. Пельме́ни замора́живают, а пото́м броса́ют в горя́чую во́ду. Че́рез пять мину́т они́ гото́вы. Е́шьте на здоро́вье! Хоти́те — с ма́слом, со смета́ной, с бульо́ном. О́чень вку́сное блю́до.

А вы е́ли блины́? Нет? Обяза́тельно попро́буйте́. Блины́ де́лают из муки́, пеку́т на сковороде́, пото́м полива́ют ма́слом. Едя́т блины́ со смета́ной, с ры́бой, с яйцо́м, с зелёным лу́ком, с гриба́ми, с варе́ньем, с икро́й. Икра́ быва́ет чёрная и кра́сная. Чёрная икра́ — э́то деликате́с. Но и кра́сная икра́ о́чень вку́сная.

Ру́сские лю́бят гре́чневую ка́шу. Что э́то тако́е? Э́то тру́дно сравни́ть с чем-нибудь. Про́сто на́до попро́бовать гре́чневую ка́шу. О́чень вкусна́ гре́чневая ка́ша с поросёнком.

Ещё я вам сове́тую попро́бовать грибы́. Грибы́ — одно́ из люби́мых блюд ру́сских. Мы де́лаем марино́ванные грибы́, солёные грибы́, жа́реные грибы́, грибно́й суп, пироги́ с гриба́ми. Жа́реные грибы́ едя́т то́лько ле́том, а солёные, марино́ванные — кру́глый год!

(По А. Леонтьеву и В. Костомарову)

Задание 2. Напишите антонимы для следующих прилагательных. Придумайте с ними словосочетания.

Сла́дкий — ....   Сы́тный — ....
Горя́чий — ....   Варёный — ....
О́стрый — ....   Изы́сканный — ....

Задание 3. Определите значения выделенных слов на основе контекста.

1. Наш **сластёна** опя́ть купи́л себе́ торт!
2. Смотри́, како́й он **обжо́ра**! То́лько что поу́жинал, а уже́ де́лает себе́ бутербро́д.
3. Она́ всегда́ была́ **малоёжкой**, поэ́тому така́я худа́я.
4. Тру́дно найти́ рестора́н, кото́рый бы ему́ понра́вился. Он тако́й **гурма́н**!

Задание 4. а) прослушайте текст и выполните послетекстовое задание б).

Первая вилка в Англии

В 1608 году в Италии побывал один англичанин, которого звали Томас Кориат. Во время путешествия он писал в дневнике обо всём, что его особенно удивляло: и о прекрасных венецианских дворцах, и о красоте мраморных храмов древнего Рима, и о знаменитом вулкане Везувий. Но одна вещь удивила Кориата больше, чем Везувий и венецианские дворцы.

В дневнике есть такая запись: «Когда итальянцы едят мясо, они пользуются небольшими вилами из железа или стали, а иногда из серебра. Итальянцы никогда не едят руками. Они считают, что есть руками нехорошо, потому что не у всех руки чистые».

Кориат купил в Италии такие «вилы». Вилка, которую он купил, была мало похожа на наши вилки. У этой вилки было всего два зубца, а ручка была совсем маленькая. Этот инструмент был похож больше на камертон, чем на вилку.

Когда Кориат приехал домой, он решил удивить друзей и знакомых своей покупкой. На одном обеде он достал из кармана вилку и начал есть так, как едят итальянцы.

Все с удивлением смотрели на него. А когда он объяснил, что у него в руках, все захотели посмотреть на итальянский инструмент для еды. Дамам понравилась изящная отделка, мужчинам — изобретательность итальянцев, но все решили, что итальянцы большие чудаки и есть вилкой очень неудобно.

Томас Кориат пробовал спорить, доказывал, что нехорошо брать мясо руками, потому что руки не у всех чистые. Но все только возмущались. Неужели мистер Кориат думает, что в Англии никто не моет руки перед едой? Неужели нам мало десяти пальцев, и мы должны добавлять к ним ещё два искусственных пальца?

Кориат хотел показать своё мастерство. Но первый же кусок мяса, который он взял с тарелки, упал с вилки на скатерть. Все начали шутить и громко смеяться.

Прошло лет пятьдесят, и вилки вошли в моду в Англии.

(По М. Ильину)

б) выберите правильный ответ

1. Томас Кориат побывал ...

(А) во Франции
(Б) в Италии
(В) в России

2. Что удивило его больше всего?

(А) венецианские дворцы
(Б) Везувий
(В) вилка

3. Итальянцы никогда не едят руками, потому что ...

(А) не у всех руки чистые
(Б) это неудобно
(В) это некрасиво

4. Томас Кориат начал есть вилкой, так как ...

(А) это удобно
(Б) на столе не было ложек
(В) он решил удивить друзей и знакомых

5. Все решили, что ...

(А) вилка очень некрасивый предмет
(Б) есть вилкой опасно
(В) итальянцы большие чудаки и есть вилкой очень неудобно

6. Все начали смеяться, потому что ...

(А) кусок мяса упал с вилки на скатерть
(Б) вилка упала
(В) он рассказал смешную историю

7. Вилки вошли в моду через ...

(А) двадцать лет
(Б) пятьдесят лет
(В) сто пятьдесят лет

Внеклассное чтение

ЗДОРОВЫЙ АППЕТИТ

Русские любят, чтобы всего было много. Они любят поесть, и слово «диета» для них мало что значит. Если вас пригласит на чашку чая англичанин, вам дадут чашку очень хорошего чая, может быть, вы получите ещё маленькое печенье. Если вас пригласит на чашку чая русский, то лучше перед визитом ничего не есть. Когда вы придёте, вы увидите стол, на котором стоит огромное множество блюд.

Ничего не может быть ужаснее для русского хозяина, чем увидеть, что гости съели всё. Гораздо лучше, если половина осталась на столе, потому что это ясно говорит о том, что больше гости съесть уже не могли.

Трудно назвать блюдо, которое русские едят без хлеба – если на столе нет хлеба, русскому будет казаться, что он плохо поел.

Едят русские три раза в день — завтрак, обед и ужин. Завтрак может, например, состоять из хлеба, каши или макарон, и всегда большое количество чая. Многие сейчас предпочитают на завтрак бутерброды, потому что утром обычно нет времени что-нибудь готовить. Некоторые пьют кофе, но его популярность в последнее время меньше из-за высокой цены. Хороший чай тоже недешёвый, но русские не представляют своей жизни без чая, и каждая хозяйка с гордостью расскажет вам секрет своего особого метода его приготовления.

Плотнее всего русские едят в середине дня. Абсолютно необходимое блюдо — суп. Если на обед нет супа, то это уже не обед. Русские супы совсем не похожи на те странные субстанции, которые подают на Западе в маленьких чашечках. Русским нужны большие тарелки с горячим супом, в который входят капуста, свёкла, морковь и лук, плюс огромный кусок мяса. В суп обязательно кладут сметану. Вот это и есть русский суп. Если вы один раз попробовали его, вы уже никогда не будете есть никакой другой суп, кроме русского.

Но перед супом вам дадут закуску, например, салат из свежих овощей со сметаной или подсолнечным маслом. За супом идёт второе блюдо, которое включает хороший кусок мяса или рыбы с картошкой, варёными овощами, макаронами или рисом. После всего этого вам дадут компот или чай со сладким печеньем. Съев всё это, русский, если он обедал дома, ложится на диван и закрывает лицо газетой.

Вечерняя еда очень напоминает дневную, но без супа. А многие практикуют ещё одну тайную и поэтому безымянную трапезу. В неё входит обычно то, на что упал взгляд, когда человек открыл холодильник.

По праздникам стол отличается не только количеством еды, но и её разнообразием. Здесь может оказаться чёрная и красная икра, солёная и копчёная рыба, множество салатов.

Варенье русские едят тоннами. Летом и осенью в магазинах может исчезнуть сахар, так как все хозяйки в это время начинают варить варенье. Если вы в гостях, вам нужно попробовать хозяйкино варенье, выразить восхищение и попросить рецепт, которых существует миллион.

(по В. Жельвису)

Варенье из клубники

Состав: клубника — 1 кг
сахар — 0,5 кг
вода — 0,5 стакана

Клубнику перебрать, очистить. Сначала приготовить сироп: налить в посуду воду, добавить весь сахар, поставить на сильный огонь, ждать, когда закипит. Потом снять с огня и добавить в сироп ягоды. На слабом огне варить до готовности 30 мин.

Если ягоды клубники очень сочные, можно варить варенье без воды. Вечером положить ягоды на блюдо, добавить половину сахара и поставить на ночь в холодильник. Утром слить сок в посуду для варки варенья, добавить в него остальной сахар и сварить сироп без воды.

varenie.narod.ru

9

ПОРТРЕТ

Задание 1.

Скажи́те, на что мы обраща́ем внима́ние, когда́ опи́сываем вне́шность мужчи́ны? А же́нщины? Каку́ю же́нщину вы назовёте краси́вой? Како́го мужчи́ну вы счита́ете интере́сным? Каки́е черты́ хара́ктера вы це́ните в лю́дях? Что вам не нра́вится? Как вы понима́ете погово́рку: *не роди́сь краси́вой, а роди́сь счастли́вой?*

Ко мне подошёл **челове́к высо́кого ро́ста.**
Ей нра́вятся **мужчи́ны с уса́ми/без усо́в.**
Ря́дом сиде́ла де́вушка **в све́тлом плаще́.**
Е́сли бы я была́ актри́сой, **я бы хоте́ла** сыгра́ть А́нну Каре́нину.

Прочитайте текст. Обратите внимание на выделенные конструкции.

Какая встреча!

Клаус сел на теплоход. Недалеко от него сидела симпатичная молодая девушка. Она ела мороженое и смотрела на людей, которые входили в салон. «Какая хорошенькая! Надо с ней познакомиться», — подумал Клаус. Ему очень нравились блондинки **с голубыми глазами**. В это время девушку кто-то позвал: «Аня, садись сюда!» Клаус увидел молодого человека **с фигурой атлета**. Девушка мило улыбнулась своему другу и села рядом с ним. «Вот так всегда!» — подумал известный немецкий журналист и стал смотреть на тех, кто занимал свои места в салоне теплохода. Вдруг он увидел высокого брюнета **с чёрными усами и бородой**. Около него стояли красивая женщина и двое маленьких детей. Все они говорили по-арабски. «Неужели это Хуссейн?» — подумал Клаус. И он стал внимательно рассматривать эту семью. «Очень похож на Хуссейна! Но Хуссейн никогда не носил бороду. **Если бы он был без тёмных очков, я бы понял**, он это или нет». Детям не сиделось на месте, и они начали бегать по салону. Это были близнецы: девочка и мальчик. Они были **похожи как две капли воды**. Оба кудрявые, смуглые, **с большими карими глазами**. Молодая женщина что-то говорила им по-арабски. Она была **невысокого роста**, стройная, **с приятным лицом** и такими же, как у детей, **тёмными кудрявыми волосами**. «Кажется, они больше похожи на маму», — подумал Клаус.

Экскурсия началась. Теплоход медленно плыл по Фонтанке. «И всё-таки Хуссейн это или не Хуссейн? Этот человек немного полнее. Но и Хуссейн никогда худым не был. **Нос с горбинкой**, как у Хуссейна. Лицо круглое», — ломал голову Клаус. В это время «двойник» Хуссейна повернулся и спросил у экскурсовода по-русски: «Скажите, пожалуйста, а когда закончится экскурсия?» Теперь Клаус не сомневался: это был Хуссейн. Он быстро встал, подошёл к другу и сказал... А вы знаете, что сказал Клаус?

Ответьте на вопросы:

1. Какая девушка понравилась Клаусу?
2. Какой молодой человек позвал её?
3. Кого увидел Клаус потом?
4. Как выглядели мужчина и женщина?
5. На кого были похожи дети?
6. Почему Клаус не сразу понял, что это Хуссейн?
7. Как вы думаете, что они сказали друг другу?

Ёсли я бу́ду худо́жником, я нарису́ю твой портре́т.

Ёсли бы я был худо́жником, я бы нарисова́л твой портре́т.

Упражнение 1. Закончите предложения.

1. Я бы ста́ла фотомоде́лью, ...
2. Он пое́дет в Петербу́рг, ...
3. Я бы встре́тил твою́ сестру́, ...
4. Кла́ус позвони́т Ива́ну Петро́вичу, ...
5. Если бы Хуссе́йн был без очко́в, ...
6. Если у меня́ бу́дет вре́мя, ...
7. Если бы в воскресе́нье не́ было дождя́, ...
8. Мы бы купи́ли да́чу, ...
9. Если бы он был моло́же, ...
10. Если бы я был на ва́шем ме́сте, ...

Упражнение 2. Измените предложения по модели.

Модель: Ёсли ты дашь мне свой а́дрес, я напишу́ тебе́ письмо́.

— Ёсли бы ты дал мне свой а́дрес, я написа́л бы тебе́ письмо́.

1. Ёсли она́ бу́дет мно́го занима́ться, она́ посту́пит в университе́т.

2. Ёсли ты не бу́дешь мне меша́ть, я зако́нчу рабо́ту во́время и мы пойдём гуля́ть.

3. Я расскажу́ вам об э́том, е́сли вам э́то бу́дет интере́сно.

4. Мы пое́дем отдыха́ть на юг, е́сли у нас бу́дет о́тпуск ле́том.

5. Ёсли ты вы́йдешь из до́ма в 9.15, ты не опозда́ешь на по́езд.

6. Ёсли у меня́ бу́дет дочь, я назову́ её Ка́тей, а е́сли у меня́ бу́дет сын, я назову́ его́ Кири́ллом.

7. Ёсли вы познако́митесь с биогра́фией Набо́кова, вы бу́дете лу́чше понима́ть его́ тво́рчество.

8. Ёсли ты бу́дешь смотре́ть э́тот фильм внима́тельно, ты обяза́тельно обрати́шь внима́ние на рабо́ту опера́тора.

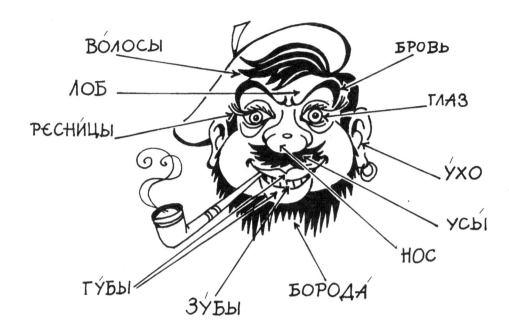

Задание 1. Объясните, что значат следующие слова:

Модель: голубоглазый человек — человек с голубыми глазами

1. усатый; 2. длинноносый; 3. светловолосый; 4. круглолицый; 5. сероглазый; 6. чернобровый; 7. кривоногий; 8. бородатый; 9. розовощекий

Задание 2. Подберите антонимы к данным словосочетаниям.

большие глаза —	прямые волосы — ....
человек высокого роста —	он полный — ....
густые волосы —	широкое лицо — ....
тонкие губы —	смуглое лицо — ....

Задание 3. Добавьте известные вам определения к данным словам.

Рост — высокий, ...
Фигура — стройная, ...
Волосы — светлые, прямые, ...
Лицо — круглое, смуглое, ...
Глаза — большие, карие, ...
Нос — длинный, ...
Лоб — высокий, ...

Задание 4. Как вы думаете, сколько лет людям, если о них говорят: *молодой человек; старик; женщина средних лет; девочка; девушка; пожилой мужчина; старушка; мальчик.*

Задание 5. Посмотрите на рисунки. Скажите, как вы опишете этих людей по характерным деталям их внешности и одежды, используя конструкции, данные на стр. 127, 136—137.

Задание 6. Посмотрите на рисунки. Напишите названия предметов одежды и обуви. Незнакомые слова посмотрите в словаре.

юбка
тапочки
перчатки
платье
жакет
платок
плащ
сапоги
шуба
куртка
шорты
халат
туфли
костюм
кофта
блузка

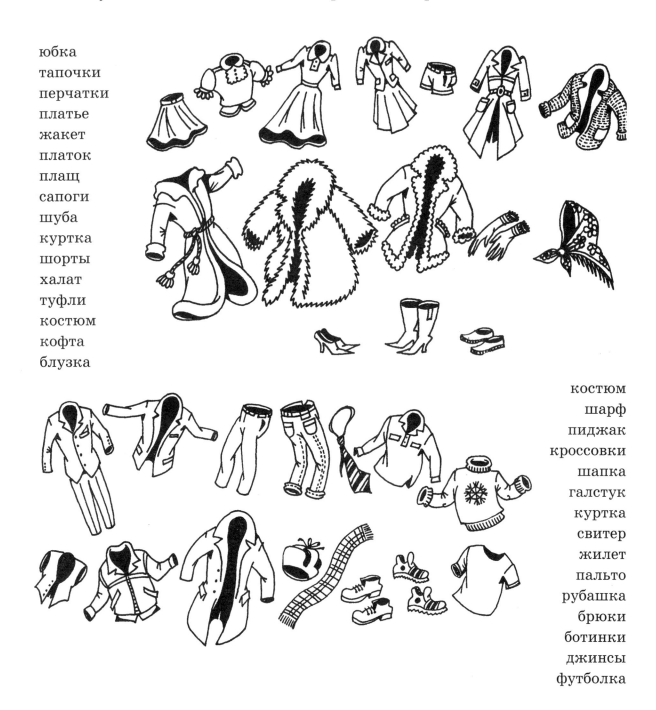

костюм
шарф
пиджак
кроссовки
шапка
галстук
куртка
свитер
жилет
пальто
рубашка
брюки
ботинки
джинсы
футболка

Он но́сит шля́пу. — Он хо́дит в шля́пе.
Он наде́л пальто́. — Он снял пальто́.
Она́ одева́ется со вку́сом.
Ты сли́шком легко́ (тепло́) оде́т.
Э́та ю́бка мне мала́. — Э́ти ту́фли мне велики́.

Задание 7. Прочитайте диалоги про себя, обратите внимание на выделенные слова и словосочетания, типичные для русской разговорной речи. Прослушайте диалоги в записи. Прочитайте их вслух. Дайте словесный портрет героев диалогов на основании их вкусов и предпочтений в одежде.

Диалог 1

Маша: Алло́! До́брый день! Позови́те, пожа́луйста, Кристи́ну.

Кристина: Э́то я. Приве́т, Ма́ша.

Маша: Кристи́на, у меня́ есть **биле́т** в Марии́нский теа́тр **на «Евге́ния Оне́гина»**. Пойдёшь со мной?

Кристина: С удово́льствием. То́лько... Я не зна́ю, что наде́ть. Ты же зна́ешь, я всегда́ ношу́ джи́нсы и свитера́. А ведь в тако́м ви́де в **теа́тр не пойдёшь!**

Маша: Да, в джи́нсах ходи́ть в теа́тр **не при́нято.** Но у тебя́ ведь есть краси́вые се́рые брю́ки и наря́дная бе́лая блу́зка. По́мнишь, ты была́ в ней в гостя́х у Макси́ма?

Кристина: О, то́чно. **Тем бо́лее**, что неда́вно я купи́ла о́чень краси́вые ту́фли. Они́ о́чень подойду́т к э́тим брю́кам. А ты в чём пойдёшь?

Маша: Ой, я ещё не ду́мала. Наве́рное, в ю́бке и ко́фточке, хотя́... Мо́жет быть, наде́ну пла́тье. Ма́ленькое чёрное пла́тье. Пра́вда, не от Шане́ль, но **то́же ничего́.**

Кристина: Представля́ю, како́й ты бу́дешь краса́вицей. Ты всегда́ так мо́дно одева́ешься!

Маша: Стара́юсь. Ты же зна́ешь, где я рабо́таю и како́й у меня́ нача́льник. Он счита́ет, что секрета́рь — э́то лицо́ фи́рмы. **Ну, ла́дно.** Встреча́емся за́втра в 6.30 о́коло теа́тра.

Кристина: Хорошо́. Спаси́бо за приглаше́ние. Пока́.

Коля: Жан, привéт! Кудá идёшь? На ýлице такóй морóз, **зуб нá зуб не попадáет**, а ты так легкó одéт!

Жан: Здрáвствуй, Кóля. Да, настоя́щая рýсская зимá. Вот и идý в магазúн, хочý купúть тёплую кýртку и зúмнюю шáпку.

Коля: Давáй я схожý с тобóй, помогý вы́брать.

Жан: О, э́то бы́ло бы здóрово! Ты мне посовéтуешь, что лýчше.

В магазине

Коля: Жан, смотрú, какáя отлúчная кýртка! На натурáльном мехý! И размéр, кáжется, твой.

Жан: Да, онá мне тóже óчень нрáвится. Но бою́сь, такáя кýртка **мне не по кармáну**. Крóме тогó, я бы не хотéл ни меховýю, ни кóжаную.

Коля: Тогдá примéрь вот э́ту. Онá óчень практúчная и тёплая. Сейчáс мнóгие нóсят такúе. Мы называ́ем э́то **пуховúк**.

Жан: Мне нрáвится, тóлько цвет не мой. Нет ли такóй посветлéе?

Коля: А вот, смотрú. Есть бéжевая. Подхóдит?

Жан: Мой сóрок восьмóй размéр, а малá. Стрáнно...

Коля: Слýшай, а ведь у нас совсéм другúе размéры! Мне кáжется, что тебé нýжен наш пятьдеся́т вторóй. Примéрь вот э́ту.

Жан: Вот э́та кýртка **как раз**. К такóй люба́я **шáпка подойдёт**. Берём!

Задание. Скажите, кто как был одет.

Нáдя ходúла в теáтр	в джúнсах и свúтере
Лéна надéла на концéрт	гáлстук
Сергéй был на дискотéке	в нóвом плáтье
Лю́да пришлá в гóсти	со вкýсом
Илья́ Сергéевич всегдá нóсит	юбку и блýзку
А́ня одевáется	в брю́чном костю́ме

Задание 9. Составьте диалоги на основе предложенных ситуаций.

— Зимой вы едете на Байкал, но не знаете, какая там погода. Посоветуйтесь с другом, который живёт в Иркутске, какую одежду вам взять.

— Вы купили новый серый костюм. Посоветуйтесь с продавцом, какой галстук к нему подойдёт.

— Ваш друг едет летом в Петербург и берёт с собой только шорты и футболки. Убедите его, что это не совсем подходит для петербургского климата.

— Ваш друг собирается пойти в Мариинский театр в джинсах и кроссовках. Убедите его в том, что это не совсем уместно.

Задание 10. Посмотрите на картины известных русских художников. Опишите людей, изображённых на них.

И.Н. Крамской.
Портрет художника
И.И. Шишкина

З.Е. Серебрякова.
Автопортрет

Б.М. Кустодиев.
Портрет
Ф.И. Шаляпина

А.М. Шилов.
Зацвёл багульник

Давайте поговорим!

1. Как вы понимаете выражения: «встречают по одёжке — провожают по уму» и «одет с иголочки»?

2. Считаете ли вы, что необходимо одеваться модно?

3. Что важнее — мода или комфорт?

4. Что такое молодёжная мода? Что вам в ней нравится и не нравится?

5. Как вы думаете, почему так популярны во всем мире демонстрации мод, так называемые дефиле?

6. Считаете ли вы, что фотомодель — это профессия?

7. Согласны ли вы со словами А.С. Пушкина: «Быть можно дельным человеком и думать о красе ногтей»?

8. Какой будет мода через 20 лет?

Повторение — мать учения

*Слова и словосочетания, которые помогут вам поговорить
о внешности человека и его одежде*

ДÉВОЧКА, ДÉВУШКА, МОЛОДÁЯ ЖÉНЩИНА, ЖÉНЩИНА СРÉДНИХ ЛЕТ, ПОЖИЛÁЯ ЖÉНЩИНА, СТАРÚШКА

МÁЛЬЧИК, МОЛОДÓЙ ЧЕЛОВÉК, МУЖЧÍНА СРÉДНИХ ЛЕТ, ПОЖИЛÓЙ МУЖЧÍНА, СТАРÍК

ЧЕЛОВÉК (МУЖЧÍНА, ЖÉНЩИНА) ВЫСÓКОГО (НЕВЫСÓКОГО, СРÉДНЕГО, МÁЛЕНЬКОГО) РÓСТА

ЧЕЛОВÉК (МУЖЧÍНА) С УСÁМИ (С БОРОДÓЙ), С ФИГÚРОЙ АТЛÉТА

ЧЕЛОВÉК ПÓЛНЫЙ (ХУДÓЙ)

НОСÍТЬ БÓРОДУ (УСÝ)

ЧЕЛОВÉК (МУЖЧÍНА, ЖÉНЩИНА) В ПЛАЩÉ (В КОСТЮ́МЕ, В СВÍТЕРЕ, В ОЧКÁХ И Т.Д.)

БЛОНДÍН(КА), ШАТÉН(КА), БРЮНÉТ(КА)

ДÉВУШКА (МОЛОДÓЙ ЧЕЛОВÉК, ЖÉНЩИНА) С ГОЛУБЫ́МИ (КÁРИМИ, ЧЁРНЫМИ, СÉРЫМИ) ГЛАЗÁМИ

ГЛАЗÁ БОЛЬШÍЕ (МÁЛЕНЬКИЕ)

ВÓЛОСЫ КУДРЯ́ВЫЕ (ПРЯМЫ́Е), ДЛÍННЫЕ (КОРÓТКИЕ)

ВÓЛОСЫ СВÉТЛЫЕ (ТЁМНЫЕ), ГУСТЫ́Е (РÉДКИЕ)

ЛИЦÓ КРУ́ГЛОЕ (ДЛÍННОЕ, ПÓЛНОЕ, ШИРÓКОЕ), СМУ́ГЛОЕ (БЛÉДНОЕ)

НОС С ГОРБИ́НКОЙ (ПРЯМО́Й, ДЛИ́ННЫЙ, КУРНО́СЫЙ)

ГУ́БЫ ТО́НКИЕ ↔ ПУ́ХЛЫЕ

ЛОБ ВЫСО́КИЙ ↔ НИ́ЗКИЙ

ЖЕ́НСКАЯ ОДЕ́ЖДА: ПЛА́ТЬЕ, Ю́БКА, БЛУ́ЗКА, КО́ФТА, ШУ́БА

МУЖСКА́Я ОДЕ́ЖДА: РУБА́ШКА, ПИДЖА́К, ГА́ЛСТУК

ЖЕ́НСКАЯ, МУЖСКА́Я ОДЕ́ЖДА: ДЖИ́НСЫ, БРЮ́КИ, ШО́РТЫ, ФУТБО́ЛКА, ДЖЕ́МПЕР, СВИ́ТЕР, ЖИЛЕ́Т, ХАЛА́Т, ЖАКЕ́Т, ПАЛЬТО́, ПЛАЩ, ДУБЛЁНКА, ПУХОВИ́К, КОСТЮ́М

ЖЕ́НСКИЕ, МУЖСКИ́Е БОТИ́НКИ, ТУ́ФЛИ, САПОГИ́, ТА́ПОЧКИ, КРОССО́ВКИ

ОНА́ ОДЕ́ТА, ОН ОДЕ́Т СО ВКУ́СОМ, ЛЕГКО́ ↔ ТЕПЛО́

НАДЕВА́ТЬ/НАДЕ́ТЬ — СНИМА́ТЬ/СНЯТЬ ПАЛЬТО́, КУ́РТКУ, КОСТЮ́М, СВИ́ТЕР

НОСИ́ТЬ БРЮ́КИ, СВИ́ТЕР, ОЧКИ́

ПЛАЩ, ДЖЕ́МПЕР МАЛ ↔ ВЕЛИ́К

ПАЛЬТО́ МАЛО́ ↔ ВЕЛИКО́

КУ́РТКА, Ю́БКА МАЛА́ ↔ ВЕЛИКА́

Используя слова, словосочетания и грамматический материал темы, выполните следующие задания.

Задание 1. Опишите ваши действия в данных ситуациях по модели.

Модель: Если бы я был кинозвездой, я каждый день давал бы интервью.
Если я стану кинозвездой, я каждый день буду давать интервью.

1. Вы вы́играли миллио́н е́вро.
2. Вы оказа́лись на необита́емом о́строве.
3. Вы президе́нт свое́й страны́.
4. Маши́на вре́мени перенесла́ вас в 19 век.
5. Вы ста́ли на 10 лет моло́же.

Задание 2. Подберите слова, пропущенные в тексте.

Моя́ сестра́ Ка́тя о́чень краси́вая. У неё ... ... глаза́, ... во́лосы, ... нос, ... лоб. Она́ ... ро́ста, 174 см, о́чень ... — ве́сит то́лько 58 кг. Когда́ я ви́жу её ... улы́бку, мне то́же хо́чется смея́ться. Ка́тя одева́ется со вку́сом. На рабо́ту она́ обы́чно хо́дит в .... До́ма но́сит ... и ... .А в теа́тр и́ли на конце́рт обы́чно надева́ет ... и .... Наша мла́дшая сестра́ во всём хо́чет быть похо́жей на Ка́тю. Неда́вно она́ попроси́ла ма́му купи́ть ей таку́ю же элега́нтную ... и чёрные ..., как у Ка́ти.

Задание 3. Расскажите (напишите), как, на ваш взгляд, выглядит:

а) типи́чная учи́тельница;
б) типи́чный полице́йский;
в) типи́чная фотомоде́ль;
г) типи́чный журнали́ст?

Задание 4. Как одет человек, если о нем говорят:

Он одева́ется мо́дно.
Он одева́ется безвку́сно.
Он одева́ется экстравага́нтно.
Он одева́ется старомо́дно.
Ему́ нра́вится спорти́вный стиль.

Задание 5. Хорошо ли вы знаете мужскую и женскую психологию? Дайте в письменной форме аргументированные ответы на вопросы теста.

Мужчина или женщина?

1. Он и она едят конфеты. Кто из них ест всю конфету сразу, а кто — кусает, чтобы узнать, что внутри?

2. Идёт разговор о том, надо ли летать в космос, если на Земле столько серьёзных проблем. Кто-то из гостей не согласен с этим и говорит: «Мне бы очень хотелось полететь туда!» Другой отвечает: «Космос может подождать!» Кто так считает?

3. Муж и жена смотрят телевизор. В соседней комнате спит больной ребёнок. Кто — он или она — говорит: «Не волнуйся! Врач сказал, что малыш скоро поправится»?

4. Семейный праздник. Муж и жена обедают в ресторане. Кто из них закажет что-нибудь экзотичное, необычное, а кто возьмёт привычное любимое блюдо?

5. В магазине рекламируют новую продукцию. Кто подойдёт посмотреть её, а кто пойдёт к традиционным товарам?

6. В отделе одежды один просит показать конкретные вещи, знает, какой фасон и цвет ему нужен. Другой не знает точно, что хотел бы купить. Кто он и кто она?

7. В автомобиле почти нет бензина. Впереди бензоколонка. Кто предлагает остановиться, а кто решает ехать дальше, потому что эта бензоколонка ему почему-то не нравится?

8. В незнакомом городе он и она заблудились. Кто предлагает спросить дорогу у прохожих, а кто уверен, что они сами найдут нужную улицу?

9. Три машины ждут зелёного сигнала светофора. Одна из них стартует первой. Кто водитель — мужчина или женщина?

Внеклассное чтение

Виктория Токарева — известная российская писательница, которая признана и любима не только как автор живых, ярких, пронизанных тонким психологизмом и иронией рассказов, но и как сценарист. Её любимое занятие — «жонглировать словами», добиваясь точного соответствия содержания произведения и его языковой формы. Токарева считает себя ученицей А.П. Чехова, поэтому, несмотря на успехи в кинематографе, любит повторять: «Сценарии — моя профессия, а проза — моя любовь».

ПАША И ПАВЛУША

Паша был лыс, голова — как кабачок. Но красота для мужчины имеет значение только в Испании. А у нас ценятся другие качества. Эти другие качества у Паши были. Паша был хороший человек.

Сейчас говорят: хороший человек — не профессия. Паша окончил педагогический институт, «дефак» — отделение для дефективных детей. Платили лучше, чем в обычных школах. Но Паша работал в ШД (школа дураков) не за деньги. Он любил этих детей. Чувствовал с ними внутреннее родство. Они были близки к природе, открыто выражали свои чувства. Подходили к Паше, гладили его по руке и по лицу и говорили: «Ты хороший». Они были доверчивы безгранично, им и в голову не приходило, что их обидят или обманут.

Паша учил их простым вещам: отличать копейку от пуговицы; объяснял, зачем копейка, а зачем пуговица. Из группы ГО (глубоко отсталых) Паша вытаскивал в жизнь совершенно адаптированных людей. Мальчики служили в армии, девочки работали на швейных фабриках.

Жил Паша в коммуналке, но в центре. Мама получила эту комнату ещё до войны. Комната большая — сорок восемь метров. Мама умерла, и Паша остался один в большой и пустоватой комнате.

Паша не был женат. Ему нравились девушки красивые и смелые. Но красивым и смелым девушкам нравились другие мужчины. Эти другие жили не в коммуналке, работали не в ШД. Красивым и смелым нравились такие, как Павлуша.

Несколько слов о Павлуше. Паша и Павлуша дружили с шестого класса, с тринадцати лет. Оба они были Павлами, и, чтобы не путать, одного звали Паша, другого — Павлуша. Павлуша был красивым ребёнком, потом красивым юношей, потом красивым мужчиной. У него были чёрные волосы, как у сицилийца, ярко-синие глаза и короткие зубы. Вообще иметь такие зубы некрасиво, но у Павлуши и этот недостаток выглядел как достоинство.

После института Павлуша ушёл в автосервис. Он любил деньги, как их там называли, «бабки». Но не сами «бабки», а то, что на них можно обменять: красивую одежду, технику, еду, женщин.

У Павлуши была прекрасная фигура человека, занимающегося спортом.

«Спорт, бизнес и секс» — вот была его программа. С восемнадцати до тридцати шести лет он поменял трёх жён — по шесть лет на каждую. Все Павлушины жёны родили ему по ребёнку. У него было трое здоровых, красивых детей.

К тридцати шести годам Паша и Павлуша были холосты.

В один из солнечных июльских дней Павлуша сидел в городе Сочи, в гостинице с красивым названием «Камелия». Павлуша любил бывать летом на море. А Паша ругался с директором школы Алевтиной Варфоломеевной Панасюк. Учителя звали её Панасючка. Она отменила в третьем классе урок литературы и заставила детей убирать территорию. Паша спросил, почему она это сделала. Панасючка ответила, что урок всё равно не сделает детей умнее — пусть лучше подышат воздухом. Паша сказал, что дело сейчас не в детях, а в педагогах. Панасючка внимательно выслушала и заметила, что такое демагогическое критиканство свойственно только пенсионерам. Паша вышел из кабинета и хлопнул дверью, вложив в этот удар весь свой протест.

Паша вышел из школы и двинулся пешком в неопределённом направлении. Когда у человека заболевает душа, надо поддержать её духовным витамином. Паша пошёл на выставку художников. Художники были современные, сегодняшние. Паша переходил от картины к картине и думал: как всё-таки много талантливых людей на земле. И в это время он увидел её. Длинная юбка, длинная чёрная кофта; вид то ли домашний, то ли супермодный. Паша в этом плохо разбирался. Белый ворот блузы около нежных щёк. Так могла выглядеть поэтесса-декадентка двадцатых годов.

Впоследствии выяснилось, что её зовут Марина.

Несколько слов о Марине. Ей тридцать два года. Возраст проб и ошибок. Последняя «ошибка» повернулась и ушла, вернее ушёл. А ещё вернее, сел в машину и уехал. Марине захотелось догнать его, схватить за руку. Она позвонила ему на работу. Он был вежлив и доброжелателен. Марина поняла: он свободен от неё. Марина перестала есть, спать, появилась сухость во рту. Она поняла — надо спасать себя.

Марина смотрела на картины и составляла схему выживания: выйти замуж, научиться водить машину, путешествовать по стране.

Сзади, как пришитый, ходил за ней гологоловый человек. Может быть, это он будет сменять её за рулём, покупать абрикосы вёдрами. Это лучше, чем закрыться в своей квартире и реветь от ревности и тоски.

Марина пошла в другой зал. Паша обречённо двинулся за ней. Она остановилась и прямо посмотрела в его серые глаза. Паша встретил её взгляд с решимостью фанатика.

— Что вы за мной ходите? — спросила Марина.

— Мне это нравится, — ответил Паша с той же решимостью.

— А мне нет.

— К сожалению, я ничем не могу вам помочь. Я все равно буду ходить за вами.

Марина стояла и не двигалась. Стояла его судьба, и Паша понимал, что многолетний поиск завершён.

Павлуша уже неделю жил в Сочи. Это было его время: теннис во второй половине дня, вечерние купания плюс к дневным и утренним. А скоро и друг детства приедет — Паша, божий человек. Невесту себе нашёл, едет отдыхать с невестой.

Паша и Марина приехали утром. Павлуша сразу отметил про себя нетипичность невесты друга. А всё непонятное интереснее, чем понятное. Интерес звал к действиям. Павлуша решил организовать вечером шашлык. Он предложил Марине поехать с ним на базар в качестве консультанта. Марина приняла приглашение.

Базар — это что-то вроде этнографического музея, и понять город можно, только побывав на его базаре. Накупив всё, что нужно, они вышли на площадь, где стояла машина Павлуши.

— Забыл! — вдруг сказал он. — Подождите секундочку.

Марина осталась ждать. «Если он купит цветы....» — загадала она. Павлуша появился с гвоздиками. Их было не пять и не семь. Их было минимум сорок девять или пятьдесят одна, крупные, ярко-красные.

— Спасибо, — сказала Марина и подняла на него глаза.

Павлуша стоял перед ней — одет, как надо. Смотрит, как надо. В глазах — что надо. Тот. Весь, от начала до конца.

Сели в машину. Все было, как и час назад: дома, люди. Но всё вдруг наполнилось красками и смыслом. Смыслом жизни. Павлуша вдруг развернул машину и поехал куда-то в неопределённую сторону, к морю, к большим камням, к водорослям.

О Паше Марина не думала. Она отодвинула его, как ещё одну пробу и ещё одну ошибку.

Павлуша о Паше не забыл. Он любил Пашу. Наверное, это единственный человек из его прошлого, которого он любил и знал за что. Павлуша любил

Пашу, но в эту минуту не считал, что обкрадывает его. Ему почему-то не было стыдно. Не было — и всё.

Марина вспомнила про Пашу только тогда, когда его увидела. У Паши были испуганные глаза.

— А мы думали, вы в аварию попали. Я хотел в милицию бежать.

— А мы и попали! — сказал Павлуша и засмеялся.

После шашлыков Павлуша и Марина исчезли. Паша пошёл на море, потом побежал в гостиницу. Где-то около шести утра понял, что его обманули.

Паша возненавидел. Это чувство стало его «генералом» и командовало им все летние месяцы. Осенью он вернулся в школу. Все сказали, что он похудел и загорел. Он не загорел, а потемнел и подсушился на огне ненависти. У него поменялось выражение глаз, и дети на его уроках сидели очень тихо. Боялись. Раньше они не хотели его огорчать, а теперь боялись. Казалось, что он может ударить.

Прошло четыре года. Паша взял отпуск и поехал в пансионат. Утром он увидел соседей по столу. Это были Марина и трёхлетний мальчик — кудрявый, большеглазый, с короткими зубами. Точная копия Павлуши. Марина искренне удивилась встрече. Она изменилась: поправилась и побледнела. Румяна вместо румянца. Вместо белой кофты — чёрная синтетика, чтобы реже стирать.

Официантка принесла борщ. Паша взял ложку и стал есть. Он почувствовал себя свободным от Марины. Надо было её увидеть, чтобы всё прошло за одну минуту. Так же, как мгновенно влюбился, — так же мгновенно освободился от неё. И даже жалко стало, что страдал так долго. «Дурак», — подумал Паша.

Марина кормила Павлушу. Он капризничал и не ел.

— Съешь ложечку за дядю Пашу, — просила Марина.

— Пусть съест за папу, — сказал Паша.

— А он его не знает, — проговорила Марина.

Паша хотел спросить: почему? Но сдержался. Должно же быть уважение к собственным страданиям. Он встал из-за стола, не дожидаясь второго.

Дни проходили один за другим. Утром Паша завтракал у себя в номере сыром и помидорами. Днём ездил в шашлычную.

Однажды Паша выходил из моря и увидел Павлушу. Он стоял в воде и плакал. Марины не было.

«Ну вот, родили на мученье, — подумал Паша. — Не нужен никому».

Вечером Паша собрался в кино. К нему постучали. «Кто бы это?» — подумал Паша. За дверью стояла Марина.

— У меня к тебе просьба. Ты не мог бы посидеть с Павлушей? То есть сидеть не надо. Ты живи своей жизнью, а я открою дверь в его комнату. Если он проснётся, войди и поноси его на руках.

— А где твоя комната? — не понял Паша.

— Рядом с твоей. Твоя одиннадцатая, а моя тринадцатая. Я скоро приду, часов в двенадцать. Не позже.

Она решила взять судьбу в свои руки и успеть до двенадцати.

— Ладно, — сказал Паша.

Она поцеловала его в щёку. Это был поцелуй-унижение. И Паша сказал:

— Не вибрируй. Успокойся. Ты же женщина.

Марина повернулась и пошла по коридору, и ему казалось, что идти ей очень неудобно. А идти придётся далеко и долго.

Павлуша спал на животе. Он был совсем мал. И всё время на краю: что ему стоит войти в море, а там волна подтолкнёт... Много ли ему надо...

Паша вернулся к себе. Лёг, не раздеваясь, стал читать книгу о Хемингуэе, потом задремал. Проснулся от крика. В его номер — босиком и в пижаме — вбежал Павлуша. Паша вскочил, схватил ребёнка, ощущая его лопатки, как крылышки.

— Не уходи. Я боюсь, — заплакал Павлуша.

— Я спать хочу.

— Давай спать вместе.

Паша подумал, потом положил малыша в кровать и лёг рядом.

Марина вернулась не в двенадцать, как обещала, а в два. Зашла в комнату к Паше.

— Вы спите? Ну ладно, не буду мешать.

Марина пошла к себе. Она сняла одежду и не стала смывать косметику. Не было сил. Да и какая разница?

Если раньше она могла пойти страдать на выставку, то сейчас... Какая там выставка! Связана по рукам и ногам. В детском саду Павлуша болел. Два дня ходит, неделю дома сидит. В магазин и то не сходишь.

Она вспомнила, как час назад сидели на берегу, запивали шашлык сухим вином. Как когда-то, так и теперь. Всё повторяется. Только тогда она была нужна всем, а сейчас никому. Ни они ей, ни она им. И всё время в голове Павлуша.

В тишине заскребла мышь. Марина с детства боялась мышей. Она встала, взяла одеяло, подушку и пошла в комнату к Паше. Легла. Паша и Павлуша не пошевелились.

Марина больше не боялась. Рядом были Паша и Павлуша. Большой и маленький. Большой защитит её, а маленького — она. Так, наверное, и выглядит конечная станция, когда в твоей жизни есть большой и маленький.

(по В. Токаревой)

10

ТЕАТР. КИНО

Задание 1. Ответьте на вопросы.

Вы лю́бите теа́тр? Каки́е теа́тры вы лю́бите бо́льше — музыка́льные и́ли драмати́ческие? В каки́х росси́йских теа́трах вы уже́ побыва́ли? Нра́вится ли вам о́пера? А бале́т? Ча́сто ли вы хо́дите в кино́? У вас есть люби́мые фи́льмы? Кто ваш люби́мый актёр, актри́са? Кинемато́граф како́й страны́, с ва́шей то́чки зре́ния, сейча́с са́мый популя́рный? Как вы понима́ете выраже́ние: *восходя́щая звезда́ экра́на*?

Я **фотографи́рую** друзе́й. — Друзья́ **фотографи́руются**.
Я давно́ **не ви́делся** с друзья́ми.
Я **восхища́юсь** э́тим челове́ком.
Он всегда́ **смо́трит** програ́мму «Вре́мя».
Ты уже́ **посмотре́л** э́тот но́вый фильм?

Задание 2. Прочитайте текст. Обратите внимание на выделенные конструкции.

В теа́тре

Быть в Петербу́рге и не побыва́ть в теа́тре? Э́то про́сто невозмо́жно. Та́к же поду́мали Кла́ус и Хуссе́йн. «Мириа́м пе́рвый раз в Петербу́рге. **Она́ всегда́ хоте́ла** послу́шать о́перу. Дава́й пойдём в Марии́нский теа́тр», — предложи́л Хуссе́йн. **Они́ купи́ли** биле́ты в театра́льной ка́ссе и ве́чером все вме́сте пошли́ на о́перу «Князь И́горь». О́коло теа́тра стоя́ли лю́ди: кто́-то ждал подру́гу и нетерпели́во смотре́л на часы́, кто́-то пыта́лся купи́ть биле́т с рук, спра́шивая ка́ждого прохо́жего: «У вас нет ли́шнего биле́та?» А у на́ших друзе́й биле́ты бы́ли отли́чные, в пя́том ряду́ парте́ра. **Они́** вошли́ в фойе́, **разде́лись,** купи́ли програ́ммки и пошли́ в зал. Огро́мный зал удиви́л их свое́й красото́й. Прекра́сная хруста́льная лю́стра, си́ние удо́бные кре́сла парте́ра, золоты́е балко́ны бельэта́жа и я́русов. Всё бы́ло наря́дно, я́рко, великоле́пно. «Э́то как в ска́зке! — восхища́лась Мириам. — Я бы хоте́ла **э́то сфотографи́ровать.** Как жаль, что де́ти ещё ма́ленькие и их нельзя́ брать на вече́рние спекта́кли!» Друзья́ се́ли на свои́ места́ и ста́ли чита́ть програ́ммку. Хуссе́йн на́чал переводи́ть жене́ либре́тто: «В дре́внем ру́сском го́роде Пути́вле **князь И́горь собира́ется** на войну́ с поло́вцами. Наро́д провожа́ет кня́зя. Неожи́данно стано́вится темно́. Э́то начина́ется со́лнечное затме́ние. Лю́ди счита́ют, что э́то плохо́й знак, и сове́туют И́горю оста́ться. Об э́том умоля́ет его́ и жена́ Яросла́вна. Но И́горь не соглаша́ется. Он про́сит бра́та Яросла́вны забо́титься о ней и ухо́дит на войну́. Но брат хо́чет сам быть кня́зем. Пока́ нет И́горя, он пья́нствует, обижа́ет жи́телей, похища́ет де́вушку. Её подру́ги иду́т к Яросла́вне и про́сят помо́чь. Но Яросла́вна не мо́жет повлия́ть на бра́та, он не слу́шает её.

Жи́тели го́рода узна́ли, что И́горь с сы́ном в плену́ у по́ловцев, кото́рые подхо́дят к го́роду.

Ве́чер у по́ловцев. Де́вушки танцу́ют пе́ред до́черью ха́на, кото́рая полюби́ла сы́на кня́зя И́горя — Влади́мира. Хан уважа́ет И́горя, потому́ что И́горь сме́лый и благоро́дный. Он обеща́ет отпусти́ть кня́зя, е́сли тот не бу́дет воева́ть про́тив по́ловцев.

И́горь узнаёт, что Пути́вль в опа́сности, и реша́ет убежа́ть. Но дочь ха́на слы́шит разгово́р и про́сит Влади́мира не оставля́ть её. Влади́мир лю́бит её, но оста́ться не мо́жет. Тогда́ она́ бу́дит весь ла́герь по́ловцев. И́горю удаётся бежа́ть. По́ловцы заде́рживают Влади́мира и хотя́т уби́ть, но хан говори́т, что э́то его́ зять, и спаса́ет сы́на кня́зя.

Ра́ннее у́тро. В Пути́вле пла́чет Яросла́вна. Она́ про́сит ве́тер, со́лнце и Днепр, что́бы они́ верну́ли ей И́горя.

Игорь возвращается. Народ приветствует своего князя».

Пока друзья читали либретто, оркестранты начали занимать свои места, пришёл дирижёр, и спектакль начался. Как прекрасно поют артисты! Какая великолепная игра!

Во время антракта Клаус предложил пойти в буфет. **Они** взяли кофе с пирожными, погуляли по фойе, **сфотографировались** на фоне прекрасных интерьеров. Прозвенел звонок, и началось следующее действие. Невозможно забыть знаменитые половецкие пляски — танцы талантливой балетной труппы театра. А декорации?! Да, здесь работают настоящие мастера своего дела.

Спектакль закончился, но не кончаются аплодисменты... Великая сила искусства. «Давайте завтра опять пойдём в театр! — говорит жена Хуссейна. — Теперь я хочу посмотреть балет!»

Ответьте на вопросы:

1. Почему друзья решили купить билеты на оперу?
2. Что значит «купить билеты с рук»?
3. Где сидели Клаус, Хуссейн и Мириам?
4. Почему Мириам сравнила зал театра со сказкой?
5. Какую оперу они слушали?
6. О чём она?
7. Что они делали во время антракта?
8. Куда предложила сходить на следующий день жена Хуссейна?

Упражнение 1. Вместо точек употребите нужный глагол.

1. Она ... меня со своим другом в прошлом году. Я была рада с ним	познакомить — познакомиться
2. Нам надо ... и поговорить. Если ты ... его, скажи, чтобы он позвонил мне.	встретить — встретиться
3. Мой сын ещё очень маленький. Он не умеет сам ... . В детском саду его ... воспитательница.	раздевать — раздеваться
4. Я ... тебе отдохнуть в Карелии. — Я ... с родителями, и они сказали мне то же самое.	советовать — советоваться
5. Дверь плохо ... . Я ... её с большим трудом.	закрывать — закрываться
6. Брат ... сестру. Сестра ... на брата.	обидеть — обидеться
7. Мы хотели ... такси, но машина не ..., потому что в ней сидели пассажиры.	остановить — остановиться
8. Сначала она ... детей, а потом ... сама.	вымыть — вымыться

Обратите внимание!

Выделенные глаголы никогда не употребляются без частицы *-ся*:

*Де́вочка **бои́тся** темноты́.*

*Я **сомнева́юсь** в его́ компете́нтности.*

*Нельзя́ **смея́ться над** чужи́ми оши́бками.*

*Мы **наде́емся на** успе́х.*

*С ва́ми тру́дно **согласи́ться**.*

*Как ты к нему́ **отно́сишься**?*

*Роди́тели **горда́тся** свои́м сы́ном.*

*Он **забо́тится** о свое́й ба́бушке.*

Упражнение 2. Задайте вопросы от выделенных выше глаголов к существительным, обратите внимание на предлоги. Запишите эти вопросы. Составьте с глаголами свои предложения.

Модель: Девочка боится темноты. — **Чего** боится девочка?

Упражнение 3. Прочитайте слова, напишите соответствующие им глаголы.

Модель: чтение — ...
чтение — читать

отношение — ....

сомнение — ....

решение — ....

увлечение — ....

повторение — ....

учение — ....

основание — ....

рисование — ....

задание — ....

желание — ....

Упражнение 4. а) Проанализируйте таблицу. Обратите внимание на значения видов глагола.

Несовершенный вид	Совершенный вид
1а) Мой брат **путешествует** по Уралу. 1б) Всё лето студенты **отдыхают**. 1в) Каждый день я **делаю** домашнее задание.	
1а) Что вы **делали** вчера? 1б) Я долго **переводил** этот текст. 1в) По средам мы **смотрели** сериал, раньше мы его не **смотрели**.	2а) Сначала мы **посмотрели** фильм, а потом **пошли** ужинать. 2б) Я наконец **перевёл** этот текст. 2в) Я уже **посмотрел** этот сериал.
1а) Завтра Наташа **будет сдавать** экзамен. 1б) Он **будет читать** роман два дня. 1в) Раз в неделю я **буду** тебе **звонить**.	2а) Когда она **сдаст** экзамен, мы **пойдём** в кафе. 2б) Он наконец **прочитал** роман. 2в) В 5 часов я тебе **позвоню**.

б) Прочитайте предложения, определите значение вида глагола. При ответе называйте только номер соответствующего значения.

1. Я часто звоню родителям.
2. Вчера я посмотрел прекрасный балет.
3. Все студенты нашей группы очень хорошо отвечали на экзамене.
4. Мой друг ответил лучше всех.
5. Зимой я отдыхал на горном курорте.
6. Мы купили новый телевизор.
7. Он работал в библиотеке два часа.
8. Этот концертный зал построили в прошлом году.
9. Он никогда не опаздывает.
10. По утрам я пью кофе.

Упражнение 5. Как правильно:

рассказывать или рассказать?

Вчера Алёна ... нам очень смешной анекдот. Она отлично ... анекдоты.

приглашать или пригласить?

Виктор ... Машу на концерт. Он часто ... её в театры, на концерты и на выставки.

отдыха́ть — отдохну́ть?

Ка́ждый год мы ... на ю́ге. В э́том году́ мы ... под Москво́й, мы о́чень хорошо́ ... там.

игра́ть — сыгра́ть?

Вы смотре́ли вчера́ футбо́л? Как ... ва́ша кома́нда? Пло́хо? А в про́шлом году́ они́ ... так хорошо́!

есть — съесть?

Что вы ... на обе́д? Я ... то́лько суп.

дари́ть — подари́ть?

Что ты обы́чно ... подру́ге на день рожде́ния? — Обы́чно я ... ей цветы́, а в э́том году́ ... ей духи́.

Упражне́ние 6. Прочита́йте предложе́ния. Сравни́те употребле́ние ви́дов глаго́ла. Вы́пишите слова́, поясня́ющие испо́льзованную глаго́льную фо́рму.

Несовершенный вид	Совершенный вид
1. Я **ча́сто** пишу́ пи́сьма роди́телям.	Я **сейча́с же** напишу́ ему́ письмо́.
2. Я **до́лго** писа́л э́ту статью́.	Я **бы́стро** написа́л э́ту статью́.
3. Я переводи́л текст **два часа́**.	Я перевёл текст **за два часа́**.
4. Я **всегда́** звоню́ ему́ по́здно.	Я **то́лько оди́н раз** позвони́л ему́ по́здно.
5. **Обы́чно** я встреча́ю его́ в трамва́е.	**Впервы́е** я встре́тил его́ в Берли́не.
6. Я **до́лго** иска́л свой ключ.	**Наконе́ц** я нашёл а́дрес Ка́ти.
7. Я **постоя́нно** беру́ кни́ги в библиоте́ке.	Вчера́ я **случа́йно** взял твой слова́рь.
8. **Ка́ждую неде́лю** я покупа́ю газе́ту «Аргуме́нты и фа́кты».	**За́втра** я **обяза́тельно** куплю́ сле́дующий но́мер.
9. Он **це́лый год** изуча́л ру́сский язы́к.	Он **за год** изучи́л ру́сский язы́к!
10. **Весь ве́чер** он гото́вился к докла́ду.	**За ве́чер** он подгото́вился к докла́ду.
11. **Ежедне́вно** она́ у́чит но́вые слова́.	**За день** она́ вы́учила 25 но́вых слов.

Упражнение 7. Измените вид выделенных глаголов. Используйте выписанные слова, помогающие определить тип действия.

1. Преподава́тель **объясни́л** нам но́вые граммати́ческие констру́кции.
2. Ка́ждый ве́чер я **звоню́** роди́телям.
3. Я **привы́кла** к петербу́ргскому кли́мату о́чень бы́стро.
4. Почему́ ты мне не **ве́ришь**?
5. Его́ друг всегда́ **расска́зывает**, как он отдыха́л ле́том.
6. Я всегда́ **ложу́сь** спать ра́но.
7. Пётр уже́ **поза́втракал**.
8. Мне **нра́вится** бале́т.
9. Он **пообеща́л** прийти́ во́время.
10. Пе́ред сно́м он обы́чно **открыва́ет** окно́.

**Закро́йте окно́! Хо́лодно. —
Не закрыва́йте окно́! Здесь о́чень ду́шно.**

**Возьми́ зонт! Ка́жется, бу́дет дождь. —
Не бери́ зонт! Сего́дня не бу́дет дождя́.**

Упражнение 8. Вставьте глагол нужного вида в форме императива.

1. Почему́ ты так ре́дко звони́шь мне? ... мне за́втра обяза́тельно!

2. Не ... э́тот слова́рь. Он есть у нас в библиоте́ке.

3. Не ... об э́том никому́.

4. ..., пожа́луйста, на обе́д борщ.

5. Никогда́ не ... того́, что не мо́жешь сде́лать.

6. ... цветы́ в ва́зу.

7. ... ей убра́ть кварти́ру.

8. Не ... обо мне пло́хо.

9. Я без тебя́ бу́ду о́чень скуча́ть, ... скоре́е.

10. Не ... меня́ об э́том, пока́ э́то секре́т.

звони́ть — позвони́ть

покупа́ть — купи́ть

говори́ть — сказа́ть
гото́вить — пригото́вить
обеща́ть — пообеща́ть
ста́вить — поста́вить
помога́ть — помо́чь
ду́мать — поду́мать
возвраща́ться — верну́ться
спра́шивать — спроси́ть

Готовимся к разговору

Задание 1. Составьте диалоги по моделям. Используйте предложенные глаголы.

Модели:

1. — Ты ещё не читáл нóвый ромáн Вѝктора Пелéвина?
   — Ещё нет.
   — Ты обязáтельно дóлжен егó прочитáть.

(спрáшивать — спросѝть, покáзывать — показáть, расскáзывать — рассказáть)

2. — Что ты бýдешь дéлать зáвтра?
   — Я бýду переводѝть текст.
   — А потóм?
   — Когдá я переведý текст, я бýду убирáть квартѝру.

(мыть — вѝмыть, помогáть — помóчь, готóвить — приготóвить)

Задание 2. Задайте вопросы, которые возникают в следующих ситуациях.

1. Вы получили открытку без подписи. Поинтересуйтесь, кто её автор. (писáть — написáть)

2. Экскурсовод рассказывал о строительстве Исаакиевского собора. Спросите его, сколько времени оно продолжалось. (стрóить — пострóить)

3. На столе вы не нашли свой словарь. Узнайте, где он. (брать — взять)

4. Вам предлагают кофе. Вы не хотите. Объясните, почему. (пить — вѝпить)

5. Ваша подруга читает новый роман популярного писателя. Узнайте, откуда он у неё. (давáть — дать)

6. Вчера был футбольный матч между командами России и Германии. Спросите о его результате. (игрáть — сыгрáть)

7. Вы заблудились в незнакомом городе и опоздали на встречу с друзьями. Объясните, что вы не знали, где находится станция метро. (искáть — найтѝ)

8. Ваши друзья вернулись из отпуска. Спросите, довольны ли они отдыхом. (отдыхáть — отдохнýть)

Задание 3. Внимательно прочитайте афишу выходного дня. Обсудите с друзьями, куда вам стоит пойти и что посмотреть.

Государственный Академический Мариинский Театр (Театральная площадь, д. 1. Телефон 114-43-44)	П.И. Чайковский. Балет «Щелкунчик»
Академический Большой драматический театр им. Г.А. Товстоногова (Набережная р.Фонтанки, д. 65. Телефон 310-92-42)	А.П. Чехов. «Дядя Ваня»
Большой театр кукол (ул.Некрасова, д. 10. Телефон 273–66-72)	Сказка «Три поросёнка»
Санкт-Петербургская академическая филармония им. Д.Д. Шостаковича, Большой зал (Михайловская ул, д. 2. Телефон 110-42-90)	Академический симфонический оркестр Филармонии. Дирижёр А. Лазарев. В программе: Моцарт, Шостакович
Санкт-Петербургский государственный театр музыкальной комедии (Итальянская ул., д.13. Телефон 210-43-16).	И. Кальман. «Мистер Икс»
Цирк (наб. р. Фонтанки, д. 3. Телефон 210-43-90)	«Нам 125!» Юбилейное представление
Санкт-Петербургская государственная филармония джазовой музыки (Загородный пр., д. 27. Телефон 164-85-65).	Вечер джазовой скрипки. Д. Голощёкин
Кинотеатр «Аврора» (Невский пр., д. 60. Телефон 315-52-54)	Художественный фильм «Страна глухих»
Киноцентр «Ленинград» (Потёмкинская ул., д. 4. Телефон 272-65-13)	Художественный фильм «Пианистка»
Кинотеатр «Паризиана» (Невский пр., д. 80. Телефон 273-48-13).	Художественный фильм «Самая обаятельная и привлекательная»

Задание 4. Скажите, какой фильм посмотрели ваши друзья (хороший или плохой, смешной или грустный, интересный или скучный), если вы услышали такие реплики:

— Мы с трудо́м досиде́ли до конца́.
— По-мо́ему, э́то бы́ло великоле́пно.
— Лу́чше бы не ходи́л.
— То́лько вре́мя потеря́л.
— Не жале́ю, что пошёл.
— Никогда́ так не смея́лся.

Задание 5. Составьте диалоги на основе предложенных ситуаций.

1. Вы купили билет в театр, но не сможете пойти. Предложите билет своему другу. Расскажите о предстоящем спектакле.

2. Вы посмотрели фильм, и он вам очень не понравился, а вашему другу фильм понравился. Аргументируйте свою точку зрения.

3. Вы журналист. Вам надо взять интервью у популярного исполнителя. Задайте ему самые важные, с вашей точки зрения, вопросы.

Задание 6. Прочитайте диалоги про себя, обратите внимание на выделенные слова и словосочетания, типичные для русской разговорной речи. Прослушайте диалоги в записи. Прочитайте их вслух. Разыграйте эти диалоги.

Диалог 1

— Ма́ша, приве́т! Ты занята́ сего́дня ве́чером?
— Нет. **А что?**
— У меня́ есть биле́ты в кино́ на 19.30.
— Че́стно говоря́, мне не о́чень хо́чется в кино́.
— **Ну и зря.** Фильм отли́чный, игра́ют великоле́пные актёры. Называ́ется «Дневни́к его́ жены́». Он получи́л пре́мию «Ни́ка» Росси́йской киноакаде́мии.
— **Назва́ние мне ни о чём не говори́т.** Что э́то за фильм? Коме́дия? Мелодра́ма? И́ли боеви́к?

153

— Нет, что ты! **Какой там** боевик! Это **как раз** для тебя. Ты же обожа́ешь ру́сскую литерату́ру. Он о после́дних года́х жи́зни Ива́на Алексе́евича Бу́нина, его́ одино́честве и траги́ческой любви́ к поэте́ссе Гали́не Кузнецо́вой.

— **Да ты что!** Я так люблю́ про́зу Бу́нина. Коне́чно, я хочу́ посмотре́ть. А кто режиссёр?

— Фильм поста́вил изве́стный режиссёр Алексе́й Учи́тель, а гла́вного геро́я игра́ет то́же режиссёр — Андре́й Смирно́в, кото́рый о́чень похо́ж на Бу́нина. Я бу́ду смотре́ть уже́ второ́й раз. Пойдём, **не пожале́ешь**.

— Обяза́тельно пойдём.

Диалог 2

— Та́ня, тебе́ не ка́жется, что мы давно́ не́ были в филармо́нии?

— **Слу́шай**, я сама́ хоте́ла тебе́ об э́том сказа́ть. Кста́ти, вчера́, когда́ я шла ми́мо Большо́го за́ла, я ви́дела афи́шу. 25 ма́я приезжа́ет Влади́мир Спивако́в со свои́м коллекти́вом.

— Ну, э́то тако́й изве́стный музыка́нт, что **наверняка́** биле́тов уже́ не **доста́ть**.

— Я уже́ зашла́ в ка́ссу — биле́ты пока́ есть, **пра́вда**, дороги́е. За́втра по доро́ге на рабо́ту я могла́ бы зайти́ и купи́ть биле́ты, но что де́лать с на́шим Серёжкой?

— А в чём пробле́ма? Он уже́ не ма́ленький. Хва́тит слу́шать то́лько тяжёлый рок. Пора́ учи́ться понима́ть кла́ссику. Покупа́й три биле́та, и пойдём все вме́сте.

— А е́сли он не захо́чет? Нельзя́ же **тащи́ть** ребёнка **си́лой**!

— Ничего́, оди́н раз услы́шит, и ему́ понра́вится. У него́ ведь абсолю́тный слух! Кста́ти, а что они́ исполня́ют?

— Чайко́вского.

— **Тем бо́лее**. Му́зыка Чайко́вского не так трудна́ для восприя́тия.

— **Ну что ж**. Попро́буем приобщи́ть молодо́е поколе́ние к прекра́сному. Зна́чит, я беру́ три биле́та.

Зада́ние 7. Прочита́йте сле́дующие фразеологи́змы: *медве́дь на́ ухо наступи́л, игра́ть пе́рвую скри́пку, вжи́ться в роль, дать петуха́.* Как вы ду́маете, что они́ означа́ют? Приду́майте ситуа́ции, в кото́рых их мо́жно употреби́ть.

Задание 8. Посмотрите на рисунки. Назовите действующих лиц этой истории. Скажите, кто мешал девушке спать по ночам? Задайте друг другу вопросы по каждому рисунку. Расскажите (напишите) на основе рисунков всю историю. Расскажите (напишите) эту историю от лица одного из героев. Придумайте название этой истории.

Давайте поговорим

1. Какую роль играет театр в жизни современного человека?

2. Способно ли телевидение заменить театр и кино?

3. Как вы относитесь к экранизации литературных произведений?

4. Нужны ли на телевидении сериалы?

5. Как вы относитесь к тому, что наиболее популярными жанрами в кинематографе становятся боевики и триллеры?

6. Как вы понимаете слова Д. Шостаковича: «Людям нужны все виды музыки»?

Повторение — мать учения

Слова и словосочетания, которые помогут вам поговорить о театре, кино, музыке

ТЕА́ТР: КЛАССИ́ЧЕСКИЙ, СОВРЕМЕ́ННЫЙ; ДРАМАТИ́ЧЕСКИЙ, О́ПЕРЫ И БАЛЕ́ТА, ОПЕРЕ́ТТЫ (МУЗКОМЕ́ДИИ), КУ́КОЛЬНЫЙ, ЭСТРА́ДНЫЙ, ТЮЗ (ТЕА́ТР Ю́НОГО ЗРИ́ТЕЛЯ)

СМОТРЕ́ТЬ СПЕКТА́КЛЬ, БАЛЕ́Т; СЛУ́ШАТЬ О́ПЕРУ, КОНЦЕ́РТ

ГАСТРО́ЛИ ТЕА́ТРА; ТЕА́ТР ГАСТРОЛИ́РУЕТ

РЕПЕРТУА́Р ТЕА́ТРА

ТЕАТРА́ЛЬНЫЙ СЕЗО́Н

СПЕКТА́КЛЬ: КОМЕ́ДИЯ, ДРА́МА, МЕЛОДРА́МА, ТРАГЕ́ДИЯ, СПЕКТА́КЛЬ ПО ПЬЕ́СЕ А.П. ЧЕ́ХОВА

ПРЕМЬЕ́РА

СТА́ВИТЬ/ПОСТА́ВИТЬ СПЕКТА́КЛЬ; СПЕКТА́КЛЬ ПОСТА́ВЛЕН ПО ПЬЕ́СЕ ОСТРО́ВСКОГО.

ФИЛЬМ: ДОКУМЕНТА́ЛЬНЫЙ, ХУДО́ЖЕСТВЕННЫЙ, ТЕЛЕВИЗИО́ННЫЙ; ЗВУКОВО́Й, НЕМО́Й; ФАНТАСТИ́ЧЕСКИЙ, МУЗЫКА́ЛЬНЫЙ, ИСТОРИ́ЧЕСКИЙ, ПРИКЛЮЧЕ́НЧЕСКИЙ; КОМЕ́ДИЯ, БОЕВИ́К, ДЕТЕКТИ́В, ТРИ́ЛЛЕР (ФИЛЬМ У́ЖАСОВ), ФИЛЬМ-КАТАСТРО́ФА, МЕЛОДРА́МА, ЭКРАНИЗА́ЦИЯ; МНОГОСЕРИ́ЙНЫЙ, СЕРИА́Л

СЮЖЕ́Т ФИ́ЛЬМА (СПЕКТА́КЛЯ)

ФИЛЬМ ВЫ́ШЕЛ НА ЭКРА́НЫ, ФИЛЬМ (СПЕКТА́КЛЬ) ИДЁТ, ФИЛЬМ (СПЕКТА́КЛЬ) ИМЕ́ЕТ УСПЕ́Х, ФИЛЬМ СНЯТ НА КИНОСТУ́ДИИ «МОСФИ́ЛЬМ»

СНИМА́ТЬ/СНЯТЬ ФИЛЬМ, ФИЛЬМ СНЯТ ПО СЦЕНА́РИЮ Р. ЛИТВИ́НОВОЙ

РОЛЬ: ГЛА́ВНАЯ, ЭПИЗОДИ́ЧЕСКАЯ, РОЛЬ ГА́МЛЕТА; ИГРА́ТЬ (ИСПОЛНЯ́ТЬ) РОЛЬ

АКТЁР (АРТИ́СТ) / АКТРИ́СА (АРТИ́СТКА): ИЗВЕ́СТНЫЙ, ЗНАМЕНИ́ТЫЙ, НАЧИНА́ЮЩИЙ, О́ПЕРНЫЙ/АЯ (ПЕВЕ́Ц, ПЕВИ́ЦА), АРТИ́СТ БАЛЕ́ТА, БАЛЕРИ́НА

РЕЖИССЁР: ПОСТА́ВИТЬ СПЕКТА́КЛЬ, О́ПЕРУ, БАЛЕ́Т; СПЕКТА́КЛЬ, БАЛЕ́Т, О́ПЕРА В ПОСТАНО́ВКЕ В.ГЕ́РГИЕВА

БИЛЕ́Т: НА СПЕКТА́КЛЬ, В ПАРТЕ́Р, В ЛО́ЖУ, В ПЕ́РВЫЙ Я́РУС, НА БАЛКО́Н, НА ГАЛЁРКУ; В КИНО́

ДОСТА́ТЬ БИЛЕ́ТЫ, КУПИ́ТЬ БИЛЕ́Т С РУК, ЛИ́ШНИЙ БИЛЕ́Т

АНТРА́КТ: СПЕКТА́КЛЬ ШЁЛ БЕЗ АНТРА́КТА; В АНТРА́КТЕ МЫ ХОДИ́ЛИ В БУФЕ́Т

ФИЛАРМО́НИЯ, КОНЦЕ́РТНЫЙ ЗАЛ

МУ́ЗЫКА: КЛАССИ́ЧЕСКАЯ, СОВРЕМЕ́ННАЯ; ЛЁГКАЯ, ЭСТРА́ДНАЯ, ДЖА́ЗОВАЯ (ДЖАЗ)

Используя слова, словосочетания и грамматический материал темы, выполните следующие задания.

Задание 1. Вместо точек вставьте подходящие по смыслу глаголы в нужном виде.

1. В ко́мнате ещё совсе́м светло́. Почему́ вы .... свет?

2. Ты не .... мой слова́рь? Он лежа́л на столе́.

3. Когда́ студе́нты шли в теа́тр, они́ .... своего́ преподава́теля.

4. .... ли ты Достое́вского?

5. Нам о́чень хоте́лось посмотре́ть э́тот бале́т, но, к сожале́нию, мы не .... биле́ты.

6. За вре́мя о́тпуска они́ хорошо́ ....

7. Я уже́ не́сколько раз .... э́тот фильм.

8. Она́ .... сего́дня в 6 часо́в утра́.

9. Кто .... тако́й вку́сный сала́т?

10. Бы́ло так хо́лодно, что я .... шарф и ша́пку.

Задание 2. Прочитайте названия российских фильмов. Используя лексику урока, попытайтесь дать о них небольшую информацию для программы телевизионных передач.

Модель: «А́нна Каре́нина» — дра́ма. Экраниза́ция изве́стного рома́на Л. Н. Толсто́го. Фильм расска́зывает о траги́ческой любви́ заму́жней же́нщины и молодо́го офице́ра.

«Чайко́вский», «Са́мая обая́тельная и привлека́тельная», «Идио́т», «Ма́чеха», «Здра́вствуйте, я ва́ша тётя!», «Вое́нно-полево́й рома́н», «Страна́ глухи́х», «Одино́кая же́нщина жела́ет познако́миться», «Сказ о том, как царь Пётр ара́па жени́л».

Задание 3. Расскажите (напишите) о вашем любимом фильме или спектакле.

Задание 4. Напишите либретто вашей любимой оперы.

....
....
....
....
....
....
....
....
....
....
....
....
....
....
....
....
....
....
....
....
....

Внеклассное чтение

Александр Иванович Куприн (1870–1938) — талантливый русский писатель, автор таких широко известных и любимых читателями произведений, как «Гранатовый браслет», «Олеся», «Поединок» и многих других. Его проза — одно из самых замечательных явлений русской литературы начала XX века. Свои рассказы Куприн писал легко, не задумываясь, так как никогда не чувствовал недостатка материала: за свою жизнь писатель объехал почти всю Россию, поменял множество профессий. Ему всё было интересно, обо всём он рассказывал живо, со вкусом. Куприн — мастер увлекательного сюжета, в котором любовь, искусство, красота противопоставлены обыденной жизни.

ТАПЁР

Двенадцатилетняя Тиночка Руднева влетела в комнату, где ее старшие сёстры одевались к сегодняшнему вечеру. Вся розовая от быстрого бега, она была в эту минуту похожа на хорошенького мальчишку.

— Mesdames, а где же тапёр? Я спрашивала у всех в доме, и никто ничего не знает. У нас всегда так, всегда так, — горячилась Тиночка.

Самая старшая сестра, Лидия Аркадьевна, стояла перед зеркалом. Она не любила шума и относилась к «мелюзге» с холодным и вежливым презрением. Посмотрев на Тину в зеркало, она сказала с неудовольствием:

— Больше всего в доме беспорядка делаешь, конечно, ты, — сколько раз я тебя просила, чтобы ты не вбегала как сумасшедшая в комнаты.

Тина показала зеркалу язык и посмотрела на другую сестру, Татьяну Аркадьевну:

— Танечка, голубушка, как бы ты это всё устроила. Меня никто не слушает, только смеются, когда я говорю.

Тина только в этом году участвовала в устройстве ёлки. Ещё в прошлое Рождество её в это время вместе с младшей сестрой Катей оставляли в детской. Поэтому понятно теперь, что она волновалась больше всех, бегала по дому и только усиливала общую суету, которая царила на праздниках в доме.

Её отец Аркадий Николаевич любил, чтобы ёлка получалась на славу, и приглашал на вечер оркестр Рябова. Но в этом году к Рябову послали очень поздно, и его оркестр был уже занят. Аркадий Николаевич попросил кого-то найти хорошего тапёра, но совсем забыл кого.

Толстая добродушная экономка Олимпиада Савична говорила, что барин и правда просил о тапёре, но она поручила это камердинеру Луке. Лука оправдывался тем, что его дело помогать Аркадию Николаевичу, а не бегать по городу за фортепьянщиками. Горничная Дуняша уверяла, что и краем уха не слышала о тапёре.

Неизвестно, чем бы кончилась эта путаница, если бы на помощь не пришла Татьяна Аркадьевна, полная весёлая блондинка, которую прислуга обожала за её ровный характер.

— Одним словом, мы так не кончим до завтрашнего дня, — сказала она своим спокойным, немного насмешливым голосом. — Пусть Дуняша сейчас идёт за тапёром. А пока ты будешь одеваться, Дуняша, я выпишу тебе из газеты адреса.

У дверей тем временем уже звонили. Две большие семьи — Лыковых и Масловских — встретились случайно у ворот. Передняя сразу наполнилась говором, смехом и звонкими поцелуями.

Дуняша не возвращалась, и подвижная Тина сгорала от нетерпеливого беспокойства. Десять раз подбегала она к Тане и шептала взволнованно:

— Танечка, голубушка, как же нам теперь быть? Ведь это ни на что не похоже!

В эту минуту к Татьяне Аркадьевне подошёл Лука.

— Барышня, Дуняша просит вас выйти к ней.

— Ну что, привезла? — спросили в один голос все три сестры.

— Они в передней, — уклончиво ответил Лука. Только что-то сомнительно-с...

В передней стояла Дуняша, сзади неё — очень бледный маленький худощавый мальчик.

Таня спросила нерешительно:

— Вы говорите, что вы уже играли на вечерах?

— Да... я играл, — ответил он. – Вам, может быть, потому кажется, что я такой маленький...

Таня вопросительно посмотрела на старшую сестру. Лидия Аркадьевна презрительно, как всегда, спросила:

— Вы умеете, молодой человек, играть кадриль?

— Умею-с...

— И вальс умеете?

— Да-с.

— Может быть, и польку тоже?

Мальчик вдруг покраснел:

— Я, mademoiselle, кроме полек и кадрилей играю ещё все сонаты Бетховена, вальсы Шопена и рапсодии Листа.

Мальчик умоляюще посмотрел на Таню.

— Пожалуйста, прошу вас... Позвольте мне что-нибудь сыграть...

Чуткая Таня поняла, как больно затронула Лидия его самолюбие.

— Конечно, сыграйте, пожалуйста, — сказала она.

В гостиной мальчика усадили за рояль. Он взял одну из толстых нотных тетрадей.

— Угодно вам «Венгерскую рапсодию» № 2 Листа?

Лидия пренебрежительно кивнула. Мальчик положил руки на клавиши и закрыл глаза. Из-под его пальцев полились торжественные аккорды начала рапсодии. Странно было видеть и слышать, как этот маленький человечек, голову которого было почти не видно из-за пюпитра, извлекал из инструмента такие мощные, смелые, полные звуки.

Аркадий Николаевич, любивший и понимавший музыку, вышел из кабинета и, подойдя к Тане, спросил:

— Где вы достали этого карапуза?

— Это тапёр, папа. Правда, отлично играет?

Когда мальчик окончил рапсодию, Аркадий Николаевич первый захлопал в ладоши. Другие тоже начали аплодировать.

— Прекрасно играете, голубчик. Большое удовольствие нам доставили, — ласково улыбался Аркадий Николаевич, подходя к музыканту и протягивая ему руку. — Как вас зовут, я не знаю.

— Азагаров. Юрий Азагаров.

— Ну, а теперь сыграйте нам какой-нибудь марш повеселее.

Под громкие звуки марша из «Фауста» гости пошли к ёлке. Азагаров, не переставая играть, увидел, как в залу вошёл пожилой господин, на которого сразу стали смотреть все присутствующие. Он был немного выше среднего роста и держался с изящной и в то же время величавой простотой. Всего замечательнее было его лицо — одно из тех лиц, которые запоминаются на всю жизнь с первого взгляда.

Юрий Азагаров решил, что этот гость, наверное, очень важный господин, потому что даже пожилые чопорные дамы встретили его почтительными улыбками.

Вдруг над его ухом раздался равнодушно повелительный голос:

— Сыграйте, пожалуйста, ещё раз рапсодию № 2.

Он заиграл, сначала робко, неуверенно, хуже, чем он играл в первый раз, но потом к нему вернулись смелость и вдохновение. Этот необыкновенный человек наполнил его душу артистическим волнением. Он чувствовал, что никогда не играл в своей жизни так хорошо, как в этот раз.

Юрий не видел, как прояснялось хмурое лицо господина, но когда он кончил при общих аплодисментах и посмотрел в ту сторону, то уже не увидел этого привлекательного и странного человека. Но к нему подходил с таинственной улыбкой Аркадий Николаевич Руднев.

— Вот что, Азагаров, — заговорил он почти шёпотом, — возьмите этот конвертик и не потеряйте, — в нём деньги. А сами идите в переднюю и одевайтесь. Вас довезёт Антон Григорьевич.

— Но ведь я могу целый вечер играть, — начал мальчик.

— Тсс!.. – закрыл глаза Руднев. – Да неужели вы не узнали его? Неужели не догадались, кто это?

Юрий не понимал. Кто же мог быть этот удивительный человек?

— Голубчик, да ведь это Рубинштейн, Антон Григорьевич Рубинштейн. И я вас, дорогой мой, от души поздравляю и радуюсь, что у меня на ёлке вы получили такой подарок. Он заинтересован вашей игрой...

Мальчик давно уже известен теперь во всей России. Но никогда и никому он не передавал тех священных слов, которые говорил ему в эту морозную рождественскую ночь его великий учитель.

(по А. Куприну)

11

ПРОФЕССИЯ. ОБРАЗОВАНИЕ

Задание 1. Ответьте на вопросы.

Кто вы по профессии (кем вы хотите стать)? Где вы работаете (учитесь)? Почему вы выбрали эту профессию? Нравится ли вам ваша работа? Кем вы хотели быть в детстве? Какие профессии особенно популярны сегодня? Может ли человек быть счастливым без интересной работы? Работа — это труд или удовольствие? Как вы понимаете выражение: *уходить с головой в работу?*

Работая медсестрой, она поняла, что хочет стать врачом.

Учась в институте, он подрабатывал в кафе.

Получив диплом, он уехал в Сибирь.

Вернувшись на родину, я буду работать инженером.

Она стала актрисой, **хотя** родители были против.

Несмотря на то что отец плохо себя чувствовал, он пошёл на работу.

Прочитайте текст. Обратите внимание на выделенные конструкции.

Кем быть?

Хорошо, когда у тебя отпуск и ты можешь путешествовать и любоваться красотой новых мест. Но, **заканчивая** университет, ты должен думать о работе. Вот и наш Том, студент Принстонского университета, успешно **сдав** экзамены и **написав** прекрасную дипломную работу, сейчас решает проблему, что делать дальше.

Главное в жизни человека — работа. Где бы ты ни был, чем бы ни занимался, надо стараться не только стать профессионалом, но и принести пользу людям. Вдруг Том вспомнил о своей детской мечте. Однажды он очень насмешил родителей, когда сказал, что хочет стать продавцом мороженого и есть его на завтрак, обед и ужин. Но через некоторое время он уже хотел стать парикмахером, потом полицейским, потом пожарником. В седьмом классе он твёрдо решил стать ветеринаром, потому что, **возвращаясь** как-то из школы, он увидел на улице маленького, мокрого и очень несчастного щенка. Ему стало так жалко беднягу, что он принёс собаку домой. Родители, конечно, были против. Они сказали, что не надо делать из квартиры зоопарк. Дело в том, что у Тома уже были кошка, черепаха и попугай. Но Том стоял на своём: если ему не разрешат оставить щенка, то он уйдёт вместе с ним. Конечно, щенка оставили. И мальчишка день и ночь ухаживал за новым другом.

Поступив в университет, Том много занимался, но сразу начал подрабатывать. Он продавал газеты, работал официантом в Макдоналдсе, был санитаром в больнице, курьером в юридической фирме. Больше всего ему нравилось работать диск-жокеем в студенческом клубе. Как здорово, когда вокруг тебя весёлые лица, все танцуют, гремит музыка и ты хозяин этого праздника.

Студенческие годы пролетели, и пришло время сделать выбор.

Можно стать предпринимателем, открыть собственное дело. Это очень интересно, потому что бизнесмен должен самостоятельно принимать решения, не **боясь** риска, никогда не **теряя** голову. Кроме того, Тому всегда хотелось создать совместное предприятие с какой-нибудь российской фирмой. Он же уже так хорошо говорит по-русски!

Но недавно ему сделали очень заманчивое предложение: одна крупная финансовая компания пригласила его на работу.

Что же делать? Надо взвесить все «за» и «против».

Хотя работа в финансовой компании имеет свои плюсы, в ней есть и свои минусы. С одной стороны, это высокая фиксированная зарплата, оплачиваемый отпуск, нормированный рабочий день, два выходных дня. С другой стороны, так не хочется зависеть от решений начальника!

Ну, а бизнес даёт простор для инициативы, возможность по-своему организовать работу и быстро добиться успеха. Правда, бизнес — это всегда риск. Делов́ые л́юди раб́отают день и ночь, ч́асто без выходн́ых. Да и ́отпуск для них не всегд́а возм́ожен. Но как ́это интер́есно! Встр́ечи с н́овыми людьм́и, переговóры, контр́акты. Каќой н́адо им́еть хар́актер, чт́обы спр́авиться со вс́еми тр́удностями! Реш́ительный, тв́ёрдый, энерѓичный. Неуж́ели не полýчится? Нет, полýчится. Н́ужно попр́обовать свой с́илы и доказ́ать себ́е, что ты чт́о-то м́ожешь.

Отв́етьте на вопр́осы:

1. Каќой университ́ет сќоро заќончит Том? 2. Кем он хот́ел быть в д́етстве? 3. Почем́у Том реш́ил стать ветерин́аром? 4.Чем заним́ался Том, когд́а уч́ился в университ́ете? 5. Каќую пробл́ему он реш́ает сейч́ас? 6. Кем он всегд́а мечт́ал быть? 7. Почем́у он хот́ел стать бизнесм́еном? 8. Каќое предлож́ение он нед́авно получ́ил? 9. Каќие пл́юсы им́еет раб́ота в фин́ансовой комп́ании? А каќие м́инусы? 10. Чем привлеќает Т́ома б́изнес? 11. С каќими тр́удностями ст́алкивается предприним́атель? 12. Каќой хар́актер д́олжен быть у делов́ого челов́ека?

Что делать?	Что они делают?	Что делая? Как?	Пример
чит́ать	чит́ают	чит́ая	**Чит́ая** письм́о, он улыб́ался. (= Он чит́ал письм́о и улыб́ался.)
заним́аться	заним́аются	заним́аясь	**Заним́аясь** сп́ортом, вы укрепл́яете сво́е здор́овье. (=Когд́а вы заним́аетесь сп́ортом, вы укрепл́яете сво́е здор́овье.)
леж́ать	леж́ат	л́ёжа	(как?) Он л́юбит чит́ать **л́ёжа**.
сад́иться	сад́ятся	сад́ясь	**Сад́ясь** на див́ан, он не зам́етил ќошку. (= Когд́а он сад́ился на див́ан, он не зам́етил ќошку.)

Что сделать?	Что сделал?	Что сделав?	Пример
прочита́ть	прочита́л	прочита́в	**Прочита́в** кни́гу, я дал её дру́гу. (=Когда́ я прочита́л кни́гу, я дал её дру́гу.)
верну́ться	верну́лся	верну́вшись	**Верну́вшись** из о́тпуска, он на́чал рабо́тать. (= Он верну́лся из о́тпуска и на́чал рабо́тать.)

Упражнение 1. Измените предложения по модели.

Модель: Гуля́я по го́роду, мы мно́го фотографи́ровали.

Мы гуля́ли по го́роду и мно́го фотографи́ровали.

1. Уча́сь в университе́те, моя́ сестра́ рабо́тала в библиоте́ке. 2. Выбира́я э́ту профе́ссию, он хоте́л занима́ться нау́кой. 3. Рабо́тая в Росси́и, Пе́тер стал изуча́ть ру́сский язы́к. 4. Посмотре́в в де́тстве э́тот бале́т, де́вочка реши́ла стать балери́ной. 5. Нача́в э́ту рабо́ту, она́ забы́ла об о́тдыхе. 6. Позвони́в домо́й, Людми́ла узна́ла, что пришли́ го́сти. 7. Студе́нты переводи́ли текст, не смотря́ в слова́рь. 8. Уви́дев преподава́теля, мы поздоро́вались. 9. Путеше́ствуя по Росси́и, я встре́тил мно́го интере́сных люде́й. 10. Потеря́в но́мер телефо́на, Марк не смог позвони́ть дру́гу.

Упражнение 2. Закончите предложения.

1. Встреча́ясь с друзья́ми, ...

2. Око́нчив университе́т, ...

3. Слу́шая му́зыку, ...

4. Жени́вшись, ...

5. Поза́втракав, ...

6. Посмотре́в фильм, ...

7. Возвраща́ясь с рабо́ты, ...

8. Получи́в письмо́, ...

9. Откры́в дверь, ...

10. Сто́я на остано́вке, ...

Упражнение 3. Напишите начало фраз по модели.

Модель: Познакомившись с девушкой, я попросил у неё телефон.

1. .... , мы пошли́ в кино́.
2. .... , я пошёл гуля́ть.
3. .... , он о́чень смея́лся.
4. .... , я на́чал писа́ть диссерта́цию.
5. .... , мы пое́дем отдыха́ть на юг.
6. .... , я выпи́сывал но́вые слова́.
7. .... , я узна́л, когда́ отправля́ется по́езд.
8. .... , он сказа́л спаси́бо.
9. .... , он уе́хал домо́й.
10. .... , он потеря́л де́ньги.

Хотя́ шёл дождь, мы пошли́ гуля́ть. =

Несмотря́ на то что шёл дождь, мы пошли́ гуля́ть.

Упражнение 4. Составьте сложные предложения, используя союзы *хотя,* *несмотря на то что.*

1. У меня́ нет свобо́дного вре́мени. Я пойду́ на э́тот конце́рт. 2. Все уста́ли. Мы бу́дем продолжа́ть рабо́ту. 3. Все проси́ли его́ оста́ться. Он ушёл. 4. Уже́ по́здно. Я не хочу́ спать. 5. Я чита́л э́ту кни́гу. Я хочу́ прочита́ть её ещё раз. 6. Гео́рг никогда́ не́ был в Росси́и. Он прекра́сно говори́т по-ру́сски. 7. Ма́ша занима́лась мно́го. Она́ сдала́ экза́мен пло́хо. 8. Ле́кция о́чень интере́сная. Я не могу́ на неё пойти́.

Джим изучает русский язык в Санкт-Петербурге.

Каждый день нужно учить новые слова.

Мы учимся в университете.

Маша занимается в библиотеке.

Ваш сын мало занимается.

ИЗУЧАТЬ что? где?	**УЧИТЬ что?**
УЧИТЬСЯ где?	**ЗАНИМАТЬСЯ где? как?**

Упражнение 5. Вставьте вместо точек данные выше глаголы.

1. Лена .... историю в Сорбонне.
2. Где .... твой младший брат?
3. Тебе надо больше ....
4. Он никогда не .... правила, поэтому плохо говорит по-русски.
5. В университете Сергей очень серьёзно .... философию.
6. Я бы хотел .... в Москве.
7. Я не люблю .... в библиотеке.
8. Чтобы улучшить память, надо .... стихи.

Готовимся к разговору

Задание 1. Кем они хотят стать, если:

Джон у́чится на экономи́ческом факульте́те.
Анто́н у́чится в Литерату́рном институ́те.
Ната́ша лю́бит петь.
Серге́й изуча́ет психоло́гию.
А́не нра́вится рисова́ть.
Ви́ктор занима́ется те́ннисом.
Лю́да интересу́ется поли́тикой.

Задание 2. Скажите, на каких факультетах учатся студенты, если они называют свои факультеты:

истфа́к, филфа́к, физфа́к, химфа́к, биофа́к, юрфа́к, геофа́к, подфа́к, физма́т.

Задание 3. Напишите, кто она.

Модель: студент — студентка
ученик — учени́ца

артист — ....   художник — ....
официант — ....   начальник — ....
санитар — ....   преподаватель — ....
журналист — ....   писатель — ....

Но! Он, она: инженер, врач, юрист, ветеринар, архитектор, экскурсовод, дирижёр, продавец, библиотекарь, историк, экономист, географ, геолог.

Задание 4. Заполните таблицу.

Профессия	Что делает?	Что закончил?	Где работает?
врач	ле́чит люде́й	медици́нскую акаде́мию	в больни́це и́ли в поликли́нике
учи́тель			
архите́ктор			
худо́жник			
актёр			
библиоте́карь			
ветерина́р			
экскурсово́д			
продаве́ц			
дирижёр			

Задание 5. Прочитайте названия фирм и учреждений. Скажите, чем они занимаются, какие специалисты там работают, какое у них образование.

Задание 6. Как вы понимаете следующие выражения: *не место красит человека, а человек место; мастер на все руки; работать спустя рукава; встать на ноги.* Придумайте ситуации, в которых их можно употребить.

Задание 7. Прочитайте диалоги про себя, обратите внимание на выделенные слова и словосочетания, типичные для русской разговорной речи. Прослушайте диалоги в записи. Прочитайте их вслух. Что вы могли бы рассказать об участниках этих диалогов?

Диалог 1

— Слушай, я хочу́ перейти́ на другу́ю рабо́ту.

— А что? У тебя́ неприя́тности?

— **Да не то что́бы** неприя́тности, про́сто надое́ло рабо́тать с таки́м бюрокра́том, как мой нача́льник. Для него́ бума́ги важне́е де́ла. Инициати́вные и тво́рческие рабо́тники ему́ не нужны́.

— Но ты сто́лько лет рабо́таешь в э́том институ́те! Неуже́ли не жаль уходи́ть?

— Жаль, коне́чно. 15 лет на одно́м ме́сте — э́то нема́ло. Но **ничего́ не поде́лаешь.** Мне до пе́нсии ещё далеко́. Ка́ждый челове́к мечта́ет сде́лать карье́ру, и я не исключе́ние.

— Куда́ же ты перехо́дишь?

— Ты зна́ешь, мне предложи́ли ме́сто в одно́й ча́стной фи́рме. Неда́вно был на собесе́довании. О́чень понра́вился дире́ктор — молодо́й, энерги́чный. По-мо́ему, хорошо́ зна́ет своё де́ло. И зарпла́та неплоха́я.

— А где нахо́дится э́та фи́рма? Далеко́ от твоего́ до́ма?

— Не о́чень. 30 мину́т езды́ на авто́бусе, а ра́ньше я тра́тил на доро́гу час.

— Да, э́то то́же име́ет значе́ние. Е́сли **тебя́ всё устра́ивает,** зна́чит, вы́бор сде́лан пра́вильный.

Диалог 2

ТРУ́ДНАЯ СЕ́ССИЯ

— Аллё... Ва́ся, э́то ты? Уже́ встал?

— Нет, Га́лка, ещё не ложи́лся.

— Тру́дная се́ссия, пра́вда?

— **Не говори́.**

— Как у тебя дела?

— Нормально. **Вы́зубрил** хулига́нство. Дошёл до уби́йства.

— А я останови́лась на любви́.

— На любви́? **Подожди́, подожди́**, тако́го вопро́са в програ́мме нет. Есть вопро́сы по семе́йному пра́ву.

— А ра́зве э́то не одно́ и то́ же?

— **Сравни́ла!** Семья́ — э́то поня́тие юриди́ческое, а любо́вь... так... как у пта́шки кры́лья...

— Ва́сенька, но ведь без любви́ не быва́ет семьи́.

— **Вы́брось из головы́.** Это не по програ́мме. Полу́чишь дво́йку — бу́дет хвост.

— **Ну и пусть.**

— Как э́то пусть?! Сейча́с же броса́й любо́вь и начина́й разбо́й! Это са́мое тру́дное. Е́сли ну́жно — помогу́.

— Да, Ва́ся, о́чень ну́жно.

— Ну, дава́й, спра́шивай.

— Ты по́мнишь, что бы́ло две неде́ли наза́д?

— Две неде́ли? Коне́чно. Был после́дний семина́р по криминали́стике.

— Не то, Ва́сенька... А пото́м?

— Пото́м... пото́м... не по́мню.

— Пото́м был нового́дний ве́чер.

— Да-да, что-то **припомина́ю**... Мы ещё спо́рили с аспира́нтом Ку́киным о пробле́ме веще́ственных доказа́тельств.

— А да́льше?

— Да́льше... Что же бы́ло да́льше?

— Мы с тобо́й танцева́ли, бу́дущий профе́ссор!

— Танцева́ли? С тобо́й? То́чно, Га́лка. И как то́лько ты мо́жешь таки́е подро́бности запо́мнить?

— И ты мне говори́л ... Ну, повтори́ э́ти слова́!

— Каки́е слова́, Га́лка?

— Ва́сенька, неуже́ли ты забы́л?

— Что-то припомина́ю... Говори́л каки́е-то ва́жные ве́щи. А каки́е... Ты хоть скажи́, из како́й о́бласти?

— Из о́бласти семе́йного пра́ва.

— Семе́йного? Вспо́мнил... Ну, коне́чно! Га́лка, я же тебя́ люблю́! О́чень! О́чень! Аллё... но ты хоте́ла спроси́ть у меня́ что-то по програ́мме? Аллё... Ну вот, пове́сила тру́бку. А заче́м звони́ла, так и не сказа́ла. **Перезанима́лась.** Да, тру́дная се́ссия.

(по К. Леви́ну)

172

Задание 8. Посмотрите на рисунки. Назовите действующих лиц этой истории. Скажите, кем оказался молодой человек, который представился девушке как дипломат? Задайте друг другу вопросы по каждому рисунку. Составьте, если это возможно, диалоги. Расскажите (напишите) на основе рисунков всю историю. Расскажите (напишите) эту историю от лица одного из героев, скажите, как вы поступили бы на его месте. Придумайте название этой истории.

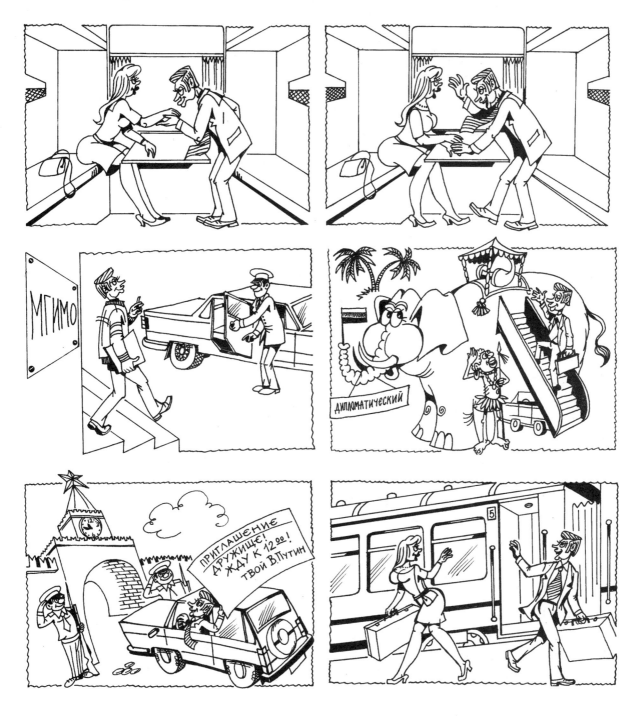

Давайте поговорим!

1. Как вы понимаете словосочетание «образованный человек»?

2. Как вы думаете, словосочетания «образованный человек» и «умный человек» синонимичны?

3. В чём вы видите недостатки современного высшего образования?

4. Попробуйте объяснить, что значат слова и словосочетания «трудоголик», «сделать карьеру», «люди интересных профессий».

5. Влияет ли профессия на характер человека?

6. Какими чертами характера должен обладать врач, педагог, лётчик, журналист?

7. Если ваша работа вам не нравится, вы:

— будете продолжать работать, а в свободное время заниматься тем, что вас интересует;

— будете стараться лучше узнать свою профессию, открыть в ней интересные стороны;

— измените профессию?

8. Как вести себя с начальником: быть скромным или действовать по принципу «сам себя не похвалишь — никто не похвалит»?

Повторение — мать учения

*Слова и словосочетания, которые помогут вам поговорить
о профессиях и работе*

БЫТЬ, СТАТЬ (*кем?*)
ПОДРАБА́ТЫВАТЬ/ПОДРАБО́ТАТЬ
КО́НЧИТЬ/ЗАКО́НЧИТЬ (что?)
ПОЛУЧА́ТЬ/ПОЛУЧИ́ТЬ ДИПЛО́М

ДÉЛАТЬ/СДÉЛАТЬ ВЫ́БОР, КАРЬÉРУ
ПРИГЛАШÁТЬ/ПРИГЛАСИ́ТЬ НА РАБÓТУ
ЗНАТЬ/УЗНÁТЬ СВОЁ ДÉЛО
ДОБИВÁТЬСЯ/ДОБИ́ТЬСЯ УСПÉХА
ПЕРЕХОДИ́ТЬ/ПЕРЕЙТИ́ НА ДРУГУ́Ю РАБÓТУ
УХОДИ́ТЬ/УЙТИ́ С РАБÓТЫ, НА ПÉНСИЮ
ДЕЛОВÓЙ ЧЕЛОВÉК
БИЗНЕСМÉН = ПРЕДПРИНИМÁТЕЛЬ
ПРЕДПРИЯ́ТИЕ ГОСУДÁРСТВЕННОЕ, ЧÁСТНОЕ, СОВМÉСТНОЕ
ГОСУДÁРСТВЕННАЯ СЛУ́ЖБА
ЧÁСТНАЯ ФИ́РМА
СОБЕСÉДОВАНИЕ
ЗАРПЛÁТА
ÓТПУСК
РАБÓЧИЙ ДЕНЬ ↔ ВЫХОДНÓЙ ДЕНЬ

Задание 1. Напишите, кем мечтают стать дети, если они говорят:

1. Я óчень люблю́ кóшек и собáк.

2. Мне нрáвится рисовáть.

3. Бóльше всегó я люблю́ танцевáть.

4. Меня́ интересу́ет тóлько компью́тер.

5. Я люблю́ мáленьких детéй.

6. Мы с пáпой коллекциони́руем модéли самолётов.

7. Я бы хотéл побывáть в рáзных стрáнах.

8. Мне нрáвится всё дéлать свои́ми рукáми.

9. Люблю́ решáть трýдные задáчи и кроссвóрды.

Задание 2. Используя данные словосочетания, скажите, что в работе важнее всего? Аргументируйте свою точку зрения.

Приноси́ть пóльзу лю́дям.

Люби́ть свою́ рабóту.

Имéть возмóжность узнавáть чтó-то нóвое.

Реализовáть себя́.

Общáться с людьми́.

Хорошó зарабáтывать.

Стать извéстным человéком.

Занимáться твóрчеством.

Имéть мнóго свобóдного врéмени.

Рабóта должнá быть прести́жной.

Задание 3. Согласны ли вы с данными оценками? Объясните свою позицию.

1. Профессия врача́ о́чень прести́жна, потому́ что она́ высокоопла́чиваемая.

2. Учи́тель всегда́ о́чень уважа́емый челове́к, так как он гото́вит бу́дущее свое́й страны́.

3. Профе́ссия журнали́ста в на́ши дни о́чень опа́сна. Им прихо́дится быва́ть в са́мых горя́чих то́чках плане́ты.

Задание 4. Прочитайте статью с советами тем, кто хочет найти работу. Зачеркните те, с которыми вы не согласны. Допишите несколько своих советов.

ПОД ЛЕЖА́ЧИЙ КА́МЕНЬ ВОДА́ НЕ ТЕЧЁТ

1. Пре́жде всего́ определи́те для себя́, что бы вы хоте́ли получи́ть от но́вой рабо́ты: де́ньги, карье́ру и́ли духо́вное удовлетворе́ние.

2. Реши́те, в како́й о́бласти мо́жете э́того доби́ться — не меня́я профе́ссию и́ли радика́льно поменя́в всё в свое́й жи́зни.

3. Попроси́те помо́чь найти́ вам рабо́ту всех друзе́й и знако́мых; пойди́те на би́ржу труда́; соста́вьте резюме́ и пошли́те его́ во все аге́нтства по трудоустро́йству.

4. Определи́те, что сейча́с це́нится на ры́нке труда́ — зна́ние иностра́нных языко́в, компью́терная гра́мотность, профессионали́зм и коммуника́бельность нужны́ всегда́.

5. Когда́ челове́к идёт на собесе́дование, он до́лжен проду́мать всё до мелоче́й. Стро́гий делово́й костю́м — са́мый универса́льный вариа́нт.

6. На собесе́довании фра́зы ти́па «не могу́», «не зна́ю» не должны́ использоваться вообще́.

7. Не бо́йтесь говори́ть о де́тях. Они́ не помеша́ют вам рабо́тать. А вот о больны́х ро́дственниках и ревни́вом му́же лу́чше промолча́ть, да́же е́сли бу́дут спра́шивать.

8. ....
....
....

9. ....
....
....

10. ....
....
....

Задание 5. Прочитайте текст. Как вы думаете, каким будет рынок профессий в XXI веке?

По́мните де́тские стихи́: «Все рабо́ты хороши́, выбира́й на вкус»? Но в ра́зные времена́ и в ра́зных стра́нах меня́ется мо́да на профе́ссии. Когда́-то мно́гие мечта́ли стать космона́втами, сейча́с «в ходу́» юри́сты и компью́терщики. Америка́нец Лес Кранц бо́лее 20 лет публику́ет ре́йтинги существу́ющих в США профе́ссий. Ока́зывается, гла́вный крите́рий вы́бора той или ино́й профе́ссии не мо́да, а 6 фа́кторов — дохо́д, стресс, потенциа́льный рост, безопа́сность, рабо́чая среда́ и физи́ческие нагру́зки.

В после́днее вре́мя неожи́данно для всех на одно́ из пе́рвых мест вы́шла профе́ссия био́лога. Био́логи сейча́с име́ют неплохи́е перспекти́вы. Эколо́гия, гене́тика, созда́ние систе́м защи́ты от бактериологи́ческих и хими́ческих фа́кторов сейча́с важны́ как никогда́. Стре́ссы здесь минима́льны, физи́ческие нагру́зки отсу́тствуют, зарпла́та неплоха́я.

В деся́тку ли́деров попа́ли та́кже специали́сты по плани́рованию в страховы́х и фина́нсовых фи́рмах, экспе́рты по компью́терным систе́мам, бухга́лтеры, метеоро́логи, юри́сты и астроно́мы. На после́дних места́х оказа́лись фе́рмеры, строи́тели, такси́сты, моряки́ и металлу́рги.

Тем, кто гото́в рискова́ть здоро́вьем и мечта́ет бы́стро разбогате́ть, лу́чше всего́ заня́ться профессиона́льным спо́ртом — баскетбо́лом, те́ннисом и́ли бейсбо́лом.

(по материалам газеты «Труд»)

Задание 6. Напишите рассказ на одну из тем:

Кем я мечта́л стать в де́тстве.
Я че́рез де́сять лет.
Неинтере́сных профе́ссий не быва́ет.
Как найти́ своё ме́сто в жи́зни.

Об А.И. КУПРИНЕ

Он был «един и многолик». «Един» потому, что был Александром Ивановичем Куприным — художником слова, своеобразным и неповторимым. «Многолик», потому что были и ещё Куприны: один — грузчик, другой — рыбак, третий — спортсмен, а ещё — носильщик на вокзале, певец в хоре. И много, много других. Но все они жили в одном человеке — писателе Куприне.

Почему так часто менял он свои профессии? Какая сила заставляла надевать его каску и мчаться на пожарных лошадях? Что заставляло его разгружать баржи с арбузами, кирпичом, цементом? Не решил ли он изучить все профессии, чтобы показывать жизнь во всём её многообразии?!

Всё было проще: он был любопытным и любознательным человеком. Его любопытство вызывал и новый вид труда, и новые люди, занятые в нём. Ведь профессия оставляет на человеке свой след, делает одного непохожим на другого. «Среди грузчиков в одесском порту, фокусников, воров и уличных музыкантов, — говорил Куприн, — встречались люди с самыми неожиданными биографиями — фантазёры и мечтатели с широкой и нежной душой».

Когда Александр Иванович решил стать рыбаком, он никому не сказал, что он писатель, и так же, как все, тянул сети, разгружал баркас, мыл палубу после рейсов.

Тяжёлый физический труд помогал ему: писатель страдал, если ему приходилось подолгу сидеть в четырёх стенах кабинета.

Любопытно, что Куприна меньше всего тянуло к людям «интеллигентного» и «канцелярского» труда. Он был уверен: ничто не даёт такой богатый материал, как близкое знакомство с простыми людьми. Участие в труде, а не взгляд на него со стороны становилось для Куприна стимулом творчества, питало его знания и фантазию.

Бурный темперамент не давал писателю подолгу заниматься литературным трудом. Он так же резко охладевал к работе, как горячо и энергично начинал её. Даже во время творческого подъёма писатель мог бросить рукопись, если случайно встречал «интересного человека», он мог писать в таких условиях, в которых другой литератор не придумал бы и двух фраз.

Иногда Куприн вдруг останавливал работу, бросал на половине, если понимал, что не находит нужных слов. Он трудился как мастер-ювелир. Точное слово, услышанное случайно, афоризм, художественная деталь — всё записывал Куприн в записную книжку. Придёт время — и всё будет необходимо. Книжки хранят сотни таких заметок, кусочков разговоров.

Год проходит за годом. Писатель всё дальше уходит от нас в историю. Не стареют лишь его книги.

(По Б.Д. Челышеву. В поисках пропавших рукописей)

12

ТРАДИ́ЦИИ. ОБЫ́ЧАИ. ПРА́ЗДНИКИ

Задание 1. Ответьте на вопросы.

Каки́е ру́сские тради́ции и обы́чаи вы зна́ете? Каки́е ру́сские пра́здники вам изве́стны? Каки́е тради́ции и обы́чаи ва́шей страны́ ка́жутся вам наибо́лее оригина́льными? Каки́е пра́здники отмеча́ются в ва́шей стране́? Како́й ваш са́мый люби́мый пра́здник? Зна́ете ли вы выраже́ние: *встреча́ть хле́бом и со́лью*?

Поздравля́ю Вас с **наступа́ющим** Но́вым го́дом! (с чем?)

Я пригласи́л дру́га, **позвони́вшего** мне, на день рожде́ния.

На пра́здничном ве́чере, **организо́ванном** на́шими студе́нтами, бы́ло ве́село.

Нового́дняя ёлка уже́ **ку́плена**.

Прочитайте текст. Обратите внимание на выделенные конструкции.

С Но́вым го́дом! С но́вым сча́стьем!

Как бы́стро лети́т вре́мя! Незаме́тно прошло́ оно́ и для на́ших ста́рых знако́мых: Ива́на Петро́вича, Кла́уса, Хуссе́йна, Ире́ны, То́ма. Уже́ год ма́ленькой Мари́ — до́чери Си́рпы, **роди́вшейся** 25 декабря́. Вот ведь как быва́ет — два пра́здника одновреме́нно! Но совсе́м ско́ро и тре́тий — Но́вый год. Си́рпа реши́ла отме́тить его́ по-ру́сски. А вы зна́ете, как встреча́ют Но́вый год ру́сские?

Но́вый год — са́мый люби́мый и весёлый пра́здник в Росси́и. Уже́ в середи́не декабря́ начина́ется нового́дняя суета́. Все бе́гают по магази́нам, покупа́ют пода́рки свои́м родны́м и друзья́м, посыла́ют поздравле́ния по фа́ксу и́ли по электро́нной по́чте. Открыва́ются ёлочные база́ры. На площадя́х, у́лицах, в магази́нах стоя́т огро́мные ёлки, **укра́шенные** разноцве́тными ла́мпочками и я́ркими игру́шками. Здесь мо́жно встре́титься с Де́дом Моро́зом и Снегу́рочкой, кото́рые поздравля́ют всех с **наступа́ющим** Но́вым го́дом.

А накану́не Но́вого го́да в ка́ждой кварти́ре уже́ стои́т ёлка, под кото́рой ждут своего́ ча́са нового́дние пода́рки.

Проду́кты для пра́здничного стола́ уже́ **ку́плены.**

31 декабря́ на ку́хне кипи́т рабо́та. Гото́вят всё са́мое вку́сное — заку́ски, горя́чее, пироги́. «Ну как мо́жно в Но́вый год не пригото́вить у́тку с я́блоками?» — говоря́т одни́. «Мы не представля́ем пра́здничный стол без гуся́», — заявля́ют други́е. Да, у ка́ждой хозя́йки есть своё фи́рменное блю́до, кото́рым она́ о́чень горди́тся.

К ве́черу всё гото́во. Пра́здничный стол накры́т, и вся семья́ сади́тся проводи́ть ста́рый год, вспо́мнить то хоро́шее, что бы́ло в **уходя́щем** году́.

Стре́лки часо́в приближа́ются к 12. Все сидя́т за столо́м. По всем телевизио́нным кана́лам трансли́руют нового́днее поздравле́ние президе́нта страны́. С бо́ем кура́нтов поднима́ются бока́лы с шампа́нским и звуча́т слова́: «С Но́вым го́дом! С но́вым сча́стьем!» По телеви́зору начина́ется традицио́нная и люби́мая все́ми переда́ча «Голубо́й огонёк», в кото́рой выступа́ют изве́стные арти́сты, юмори́сты, певцы́.

Вот и пришло́ вре́мя посмотре́ть, каки́е пода́рки положи́л под ёлку Дед Моро́з. В до́ме звучи́т смех, му́зыка, шу́тки и поздравле́ния. Молодёжь идёт на у́лицу, где начина́ются наро́дные гуля́ния. Пра́здник продолжа́ется до утра́.

Как прия́тно просну́ться днём 1 января́, уви́деть разноцве́тные игру́шки и гирля́нды, почу́вствовать за́пах ёлки, позвони́ть друзья́м по телефо́ну. Всё э́то напомина́ет о де́тстве и рожда́ет в душе́ наде́жду на сча́стье, уве́ренность в том, что всё бу́дет хорошо́...

Ответьте на вопросы:

1. Когда́ в Росси́и начина́ют гото́виться к Но́вому го́ду?
2. Каки́е приме́ты Но́вого го́да мо́жно уви́деть на у́лицах?
3. Как вы ду́маете, почему́ нового́дние пода́рки кладу́т под ёлку?
4. Почему́ ру́сские садя́тся за стол до наступле́ния Но́вого го́да?
5. С чего́ начина́ется встре́ча Но́вого го́да?
6. Как она́ продолжа́ется?
7. Почему́ 1 января́ у всех хоро́шее настрое́ние?

Что делать?	Что они делают?	Какой?	Пример
жить	жив-*у́т*	жив-*у́щ-ий* (*-ая, -ее, -ие*)	Мой брат, **живу́щий** в Москве́, неда́вно жени́лся. (=Мой брат, **кото́рый живёт** в Москве́, неда́вно жени́лся.)
танцева́ть	танцу́-*ют*	танцу́-*ющ-ий* (*-ая, -ее, -ие*)	Балери́на, **танцу́ющая** в э́том спекта́кле, — моя́ подру́га. (=Балери́на, **кото́рая танцу́ет** в э́том спекта́кле, — моя́ подру́га.)
лежа́ть	леж-*а́т*	леж-*а́щ-ий* (*-ая, -ее, -ие*)	Кни́ги, **лежа́щие** на столе́, я взял в библиоте́ке. (=Кни́ги, **кото́рые лежа́т** на столе́, я взял в библиоте́ке.)
стоя́ть	сто-*я́т*	сто-*я́щ-ий* (*-ая, -ее, -ие*)	Ва́зу, **стоя́щую** на столе́, мне подари́ли друзья́. (=Ва́зу, **кото́рая стои́т** на столе́, мне подари́ли друзья́.)

Что делать? Что сделать?	Что делал? Что сделал?	Какой?	Пример
расска́зывать/ рассказа́ть	расска́зыва-л/ рассказа́-л	расска́зыва-**вш**-ий/ рассказа́-**вш**-ий (-ая, -ее, -ие)	Челове́к, **расска́зывавший/** **рассказа́вший** э́ту исто́рию, — журнали́ст. (= Челове́к, кото́рый **расска́зывал/** **рассказа́л** э́ту исто́рию, — журнали́ст.)
нести́/ принести́	нёс/принёс	нёс-**ш**-ий/ принёс-**ш**-ий (-ая, -ее, -ие)	Челове́к, **нёсший** чемода́н, останови́лся. (= Челове́к, кото́рый **нёс** чемода́н, останови́лся.) Молодо́й челове́к, **принёсший** ро́зы, — жени́х мое́й сестры́. (= Молодо́й челове́к, **кото́рый принёс** ро́зы, — жени́х мое́й сестры́.)

Упражнение 1. Замените предложения синонимичными, используя конструкции со словом *который*.

1. Студе́нт, око́нчивший университе́т, на́чал рабо́тать в фи́рме.

2. Рабо́тающие на на́шем заво́де специали́сты уе́хали в командиро́вку.

3. Я знако́м с журнали́стом, подгото́вившим репорта́ж о встре́че двух президе́нтов.

4. В наш университе́т приезжа́ли арти́сты, игра́вшие в но́вом фи́льме.

5. В газе́те была́ статья́ о худо́жнике, написа́вшем э́ту карти́ну.

6. Мой друг, живу́щий в Нью-Йо́рке, ле́том прие́дет в Петербу́рг.

7. Я подошёл к стоя́вшей на остано́вке де́вушке и спроси́л, как дое́хать до Эрмита́жа.

Упражнение 2. Замените предложения синонимичными, используя активные причастия в форме настоящего и прошедшего времени.

1. Пианист, который приехал из Австралии, выступал в Большом зале филармонии.

2. Я рассказывал тебе о преподавателе, который работает в нашем университете.

3. Она написала письмо родителям, которые живут в другом городе.

4. Мы познакомились со студентами, которые изучают арабский язык.

5. Вчера Том смотрел передачу об учёном, который получил Нобелевскую премию.

6. Я открыл окно, которое выходит в сад.

7. Дети, которые играли в саду, пошли обедать.

Упражнение 3. Закончите предложения, используя данные словосочетания.

1) *девушка, живущая в соседнем доме*

    Я поздоровался ....

    Сергей спросил меня ....

    Я не знаю...

2) *режиссёр, снявший этот фильм*

    Мы были на встрече ....

    Я взял автограф ....

    Первый приз дали ....

3) *профессор, читавший лекции по литературе*

    Они сдавали экзамен ....

    Недавно вышла книга ....

    Я познакомлю тебя ....

4) *дети, играющие во дворе*

    Я подошёл ....

    Вика спросила, где находится дом № 5 ....

    Родители позвали домой ....

Что сделать?	Что сделал?	Какой?	Пример
написа́ть	написа́-л	написа-**нн**-ый (-ая, -ое, -ые)	Рома́н «Евге́ний Оне́гин», *напи́санный* (*кем?*) Пу́шкиным в 1831 году́, име́л большо́й успе́х. (=Рома́н «Евге́ний Оне́гин», *кото́рый написа́л* Пу́шкин в 1831 году́, име́л большо́й успе́х.)
постро́ить	постро́и-л	постро́-**енн**-ый (-ая,-ое, -ые)	Исаа́киевский собо́р, *постро́енный* (кем?) **Монферра́ном**, — оди́н из са́мых краси́вых в Петербу́рге. (=Исаа́киевский собо́р, *кото́рый постро́ил* Монферра́н, — оди́н из са́мых краси́вых в Петербу́рге.)
закры́ть	закры́-л	закры́-**т**-ый (-ая,-ое, -ые)	За́лы музе́я, *закры́тые* на реставра́цию, откро́ются в сентябре́. (= За́лы музе́я, *кото́рые закры́ли* на реставра́цию, откро́ются в сентябре́.)

Упражнение 4. Замените предложения синонимичными, используя конструкции со словом *который*.

1. Мы живём в до́ме, постро́енном в XIX ве́ке. 2. Ива́н про́дал маши́ну, ку́пленную два го́да наза́д. 3. Мне о́чень нра́вится плато́к, пода́ренный подру́гой. 4. Кни́гу, забы́тую студе́нтом, взял преподава́тель. 5. Статья́, напи́санная э́тим журнали́стом, име́ла большо́й успе́х. 6. Вы верну́ли в библиоте́ку прочи́танные кни́ги? 7. Мне не понра́вился фильм, пока́занный вчера́ по пе́рвому кана́лу. 8. Преподава́тель испра́вил оши́бки, сде́ланные на́ми в контро́льной рабо́те. 9. Письмо́, полу́ченное из до́ма, меня́ удиви́ло. 10. Вот но́вый магази́н, откры́тый ме́сяц наза́д.

Упражнение 5. Закончите предложения, используя данные словосочетания.

1) *картина, нарисованная молодым художником*

Я купил ....

Мой друг показал мне ....

Мне понравилась ....

2) *город, основанный Петром I*

Мы живём ....

Пушкин написал поэму ....

Я гуляю ....

3) *учебник, написанный Иваном Петровичем*

В магазине продаётся ....

Ирена рассказала мне ....

У Клауса ещё нет ....

4) *ёлка, украшенная игрушками*

Дети смотрели на ....

Подарки лежали ....

Ребёнок подошёл ....

Сравните:

Роман «Евгений Онегин», *написанный* Пушкиным в 1831 году, имел большой успех.	Роман «Евгений Онегин» *написан* Пушкиным в 1831 году.
Залы музея, *закрытые* на реставрацию, откроются в сентябре.	Залы музея *закрыты* на реставрацию.

**Петербург основал Пётр Первый. —
Петербург основан Петром Первым. —
Петербург, основанный Петром Первым,
называют культурной столицей России.**

**Написан (написана, написано, написаны)
Закрыт (закрыта, закрыто, закрыты)**

Упражнение 6. Ответьте на вопросы, используя слова из скобок.

1. Кто написа́л э́тот рома́н? Кем напи́сан э́тот рома́н? (изве́стный писа́тель) 2. Кем осно́ван го́род на Неве́? Кто основа́л го́род на Неве́? (ру́сский импера́тор Пётр I) 3. Кем постро́ен э́тот дворе́ц? Кто постро́ил э́тот дворе́ц? (италья́нский архите́ктор) 4. Кто откры́л зако́н? Кем откры́т зако́н? (англи́йский учёный Ньюто́н) 5. Кем поста́влен спекта́кль? Кто поста́вил спекта́кль? (молодо́й режиссёр)

Упражнение 7. а) Измените предложения по модели.

Модель: Обе́д пригото́вила моя́ ма́ма.
Обе́д пригото́влен мое́й ма́мой.

1. Анекдо́т рассказа́л мне друг. 2. Письмо́ отпра́вил брат. 3. Фи́рму со́здал америка́нский бизнесме́н. 4. Фильм показа́ли по телеви́зору. 5. Я получи́л телегра́мму ве́чером. 6. Окно́ вы́мыла ма́ма. 7. Дверь закры́л преподава́тель.

б) Замените получившиеся предложения предложениями с пассивными причастиями в полной форме.

Модель: Анекдо́т расска́зан дру́гом.
Анекдо́т, расска́занный дру́гом, был несмешно́й.

Музе́й закры́т.

Музе́й был закры́т.

Музе́й бу́дет закры́т.

Упражнение 8. Измените предложения. Замените глаголы краткими причастиями в нужной форме.

1. Строи́тельство шко́лы зако́нчили в ию́ле. 2. Э́тот текст я прочита́ю за́втра. 3. Э́тот рома́н перевели́ на мно́гие языки́. 4. Вы́ставку откры́ли два ме́сяца наза́д. 5. Мы купи́ли биле́ты в теа́тр зара́нее. 6. Мы сде́лаем рабо́ту на сле́дующей неде́ле. 7. Он напи́шет письмо́ за́втра.

Упражнение 9. Поставьте вопросы к выделенным словам.

1. Аме́рика была́ откры́та **Колу́мбом**. 2. Актёр, **сыгра́вший роль Га́млета**, о́чень понра́вился зри́телям. 3. Фильм **«Война́ и мир»** был снят Серге́ем Бондарчуко́м. 4. Рома́н «Дон Кихо́т» написа́л **Серва́нтес**. 5. Но́вая ста́нция метро́ бу́дет постро́ена **о́коло Адмиралте́йства**. 6. Петербу́рг был осно́ван **в 1703 году́**. 7. Нам понра́вились достопримеча́тельности, **пока́занные экскурсово́дом**. 8. Но́вый бале́т бу́дет поста́влен молоды́м **балетме́йстером**.

Готовимся к разговору

Задание 1. Посмотрите на фотографию. Прочитайте информацию. Расскажите об этих достопримечательностях, используя конструкции с причастиями.

Эрмитаж.
Архитектор Растрелли

Петропавловская крепость.
Архитектор Трезини

Русский музей.
Архитектор Росси

Адмиралтейство.
Архитектор Захаров

Казанский собор.
Архитектор Воронихин

Задание 2. Скажите, кто кого с чем поздравляет и что говорит.

Задание 3. а) Допишите поздравительные открытки.

б) Напишите поздравления

— подруге, родившей сына;
— друзьям в день серебряной свадьбы;
— с днём 8 Марта.

Задание 4. Составьте диалоги на основе предложенных ситуаций.

1. Ваш друг пригласил вас в гости. Вы понимаете, что в его семье праздник, но не знаете какой. Расспросите его об этом.

2. Муж и жена собираются на юбилей, где будет много гостей. Они опаздывают, но жена ещё не готова. Муж торопит её, она считает, что у них ещё много времени.

3. Вы собираетесь встречать Новый год все вместе. Обсудите, где это можно сделать, кого вы пригласите, что приготовите, как будете отмечать.

Задание 5. Объясните, как вы понимаете следующие выражения: *пир горой; в гостях хорошо, а дома лучше; незваный гость хуже татарина; чем богаты, тем и рады.* **Придумайте ситуации, в которых их можно употребить.**

Задание 6. Прочитайте диалоги про себя, обратите внимание на выделенные слова и словосочетания, типичные для русской разговорной речи. Прослушайте диалоги в записи. Прочитайте их вслух. На основе полученной информации расскажите о празднике *8 Марта* **и старом Новом годе.**

Диалог 1

— Таня, что вы будете делать 8 марта?

— 8 марта? Думаю, сначала всё будет как обычно. Когда я буду ещё спать, муж приготовит завтрак, накроет стол, на котором обязательно будут стоять цветы. Потом я встану, мы будем завтракать. Он будет

ухаживать за мной, как в первый день нашей встречи. Подарит что-нибудь традиционное: духи или косметику. Потом пригласит меня куда-нибудь. Может быть, в ресторан, а может быть, вечером в театр.

— **Какой молодец!** Он делает для тебя настоящий праздник!

— Да. 8-го марта он **всё берёт на себя.** А твой?

— Мой? Ему́ трудне́е. Ты же зна́ешь, что в на́шей семье́ пять же́нщин: я, моя́ ма́ма, его́ ма́ма и на́ши до́чки — Ка́тя и Ле́на.

— **Бе́дный!** Ему́ на́до купи́ть пять пода́рков и пять буке́тов цвето́в!

— Он нашёл вы́ход. Да́рит нам то, что хо́чет име́ть сам. В про́шлом году́ он подари́л мне огро́мный торт, но ты же зна́ешь, како́й он сладкое́жка, сам и съел **до́брую полови́ну.** Ста́ршей до́чери подари́л то́стер, мла́дшей — кофева́рку. И тепе́рь ка́ждое у́тро на за́втрак гото́вит себе́ ко́фе с то́стами. А свое́й ма́ме... **Ты не пове́ришь!** Он подари́л у́дочку и сказа́л, что ей на́до бо́льше быва́ть на све́жем во́здухе. Представля́ешь, как она́ была́ «ра́да».

— **С ума́ сойти́!** Как интере́сно! Вы не скуча́ете!

— Нет, нам всегда́ ве́село. Посмо́трим, каки́е сюрпри́зы нас ждут в э́том году́.

Диалог 2

— Йенс, приходи́ к нам на ста́рый Но́вый год.

— Как э́то на ста́рый Но́вый год? Я не по́нял.

— О́чень про́сто. 13 января́ мы отмеча́ем ещё оди́н Но́вый год.

— А почему́? И почему́ 13 января́?

— **Де́ло в том,** что до́лгое вре́мя в Росси́и был друго́й календа́рь. И год начина́лся на 13 дней по́зже, чем в Евро́пе. Когда́ в Росси́и бы́ло 1 января́, в Евро́пе бы́ло уже́ 13 января́. Пото́м Росси́я ста́ла жить по европе́йскому календарю́. Но тради́ция оста́лась, и мы называ́ем э́тот день ста́рым Но́вым го́дом.

— **Здо́рово!** Тепе́рь я понима́ю, почему́ вы справля́ете Рождество́ 7 января́, по́сле Но́вого го́да.

— Да. Рождество́ отмеча́ется по-ста́рому, потому́ что так реши́ла правосла́вная це́рковь.

— Как мно́го пра́здников у вас в январе́!

— Да, нема́ло. Но не все отмеча́ют ста́рый Но́вый год. Э́то неофициа́льный пра́здник. Но мы с друзья́ми всегда́ встреча́емся в э́тот ве́чер у меня́ до́ма. Приходи́ обяза́тельно.

— Спаси́бо, приду́.

Задание 7. Посмотрите на рисунки. Назовите действующих лиц этой истории. Как жених отметил с друзьями свою предстоящую свадьбу? Задайте друг другу вопросы по каждому рисунку. Расскажите (напишите) на основе рисунков всю историю. Расскажите (напишите) эту историю от лица одного из героев, скажите, как вы поступили бы на его месте. Придумайте название этой истории.

Давайте поговорим!

1. Расскажите о ваших национальных праздниках. Как их принято отмечать?

2. В России отмечают также профессиональные праздники (День учителя, День железнодорожника, День медицинского работника, День строителя) и юбилейные знаменательные даты (день рождения А.С. Пушкина, День города, День победы, День конституции) и т.п. Есть ли такие праздники в вашей стране?

3. Не только люди, но и города отмечают праздники. Город украшают флагами, разноцветными лампочками, днём проходят народные гулянья, во время некоторых праздников вечером бывает салют или фейерверк. Как выглядят праздничные города в вашей стране?

4. Старый Новый год, Масленицу отмечают только в России. Это типичные русские праздники. Есть ли какой-то праздник, который отмечают только в вашей стране?

5. Какие подарки принято дарить в вашей стране на Рождество? Дарят ли подарки на другие праздники? На какие?

6. В старину в России гостей встречали хлебом и солью. Есть ли подобные традиции у вас в стране?

Повторение — мать учения

*Слова и словосочетания, которые помогут вам поговорить
о традициях и обычаях*

ТРАДИ́ЦИЯ, ОБЫ́ЧАЙ

ПРА́ЗДНИК (НАЦИОНА́ЛЬНЫЙ, ПРОФЕССИОНА́ЛЬНЫЙ, СЕМЕ́ЙНЫЙ, ЖЕ́НСКИЙ)

ЮБИЛЕ́ЙНАЯ, ЗНАМЕНА́ТЕЛЬНАЯ ДА́ТА

ОТМЕЧА́ТЬ/ОТМЕ́ТИТЬ, ПРА́ЗДНОВАТЬ/ОТПРА́ЗДНОВАТЬ *(что? какой праздник?)*

ПРИГЛАША́ТЬ/ПРИГЛАСИ́ТЬ *(кого? на что? к кому? куда?)*

НАКРЫВА́ТЬ/НАКРЫ́ТЬ СТОЛ

ПРА́ЗДНИЧНЫЙ СТОЛ

ПОЗДРАВЛЯ́ТЬ/ПОЗДРА́ВИТЬ *(кого? с чем?)*

ЖЕЛА́ТЬ/ПОЖЕЛА́ТЬ *(кому? чего?)*

ДАРИ́ТЬ/ПОДАРИ́ТЬ *(кому? что?)*

ВСТРЕЧА́ТЬ/ВСТРЕ́ТИТЬ НО́ВЫЙ ГОД

УКРАША́ТЬ/УКРА́СИТЬ *(что? чем?)*

Задание 1. Перечислите праздники, которые отмечают в вашей стране, и дайте им определения (национальный, семейный и т.п.). Расскажите о них.

Задание 2. Расскажите (напишите) о каком-нибудь интересном национальном обычае.

Задание 3. Кому из этих людей вы пожелаете *успéхов в рабóте, хорóшего óтдыха, здорóвья и счáстья, дóлгих лет жúзни, большóй любвú, удáчи во всех делáх*:

Úгорь и Мáша недáвно поженúлись.
Сергéй окóнчил инститýт и скóро начнёт работать в больнúце.
Сергéю Вúкторовичу сегóдня 60 лет.

Задание 4. Что вы пожелаете людям, которые говорят:

У меня́ родúлся сын!
Мы купúли нóвую квартúру!
У бáбушки и дéдушки сегóдня золотáя свáдьба!
Моя́ дочь стáла чемпиóнкой мúра!
Я получúла диплóм инженéра!

Задание 5. Напишите русскому другу письмо на одну из тем:

Как встречáют Нóвый год в моéй странé.
Мой сáмый любúмый прáздник.
Сáмый счастлúвый день в моéй жúзни.

МАСЛЕНИЦА

Масленица — очень весёлый и любимый русским народом праздник, который отмечают за семь недель до Пасхи в конце февраля — начале марта.

Масленицу везде ждали с большим нетерпением. В некоторых местах Масленицу начинали встречать за неделю до её прихода. В Калужской области хозяйка, начиная заранее печь блины, посылала мальчика лет 8—10 «встречать Масленицу». Она давала ребенку блин, с которым он бегал по огороду и кричал: «Прощай, зима морозная! Здравствуй, лето красное!»

В масленичную неделю у всех было много дел. Но сил хватало на всё, так как везде царила атмосфера радости и веселья.

Масленицу открывали дети. Они делали из снега горы, поднимались наверх и кричали: «Приезжай, Масленица!» Потом съезжали с гор с криком: «Приехала Масленица!»

Блины — символ Масленицы. У каждой хозяйки был свой рецепт приготовления блинов, она никому его не давала. Это был большой секрет. Блинов на Масленицу ели огромное количество. В деревнях дети и взрослые ходили по домам и просили блины. Если хозяйка подавала мало, то ей кричали: «Блины плохие!» — и убегали.

Традиционное занятие на Масленицу — катание с гор и на тройках. На тройках ездили наперегонки, с шутками и поцелуями, пели песни, играли на гармони. В этом катании не принимали участия только младенцы и глубокие старики.

Центральной фигурой праздника была Масленица — кукла из соломы (чучело). В последний день масленичной недели проходили проводы Масленицы. В деревнях это был настоящий спектакль с пением, с плачем, со смехом. У костра собиралось много народу, было весело. С Масленицей прощались и в шутку, и всерьёз: «Масленица, прощай! А на тот год опять приезжай!» У костра, сжигая Масленицу, люди вспоминали, что наступает Великий пост перед Пасхой: «Не всё коту масленица, будет и великий пост». Последнее воскресенье праздника называлось «прощёное воскресенье»: люди просили друг у друга прощения за все обиды, вспоминали умерших родных.

...Праздник всегда быстро кончается, но память о весёлых масленичных днях сохранилась в пословице: «Не жизнь, а масленица».

Рецепт блинчиков

Необходимые продукты: 2 стакана муки, 3 стакана молока, два яйца, пол чайной ложки сливочного масла, пол чайной ложки сахарного песка, пол чайной ложки соли.

Яйца, соль, сахарный песок, масло (мягкое) растереть ложкой, добавить молоко. Потом всё это вливать, постоянно помешивая, в муку. Тесто должно быть жидким и без комков. Перед тем как жарить блинчики, горячую сковороду необходимо смазать жиром (лучше всего шпиком). Тесто наливают на горячую сковороду, покачивая её, чтобы оно легло ровным и тонким слоем. Жарить с двух сторон, так, чтобы каждая сторона зарумянилась.

www.zlat.spb.ru

КНИГИ ИЗДАТЕЛЬСТВА «ЗЛАТОУСТ» ПРОДАЮТСЯ:

ДАЛЬНЕЕ ЗАРУБЕЖЬЕ

OUR BOOKS ARE AVAILABLE IN THE FOLLOWING BOOKSTORES:

Australia: **Language International Bookshop** (Hawthorn), 825 Glenferrie Road, VIC 3122.
Tel.: +3 98 19 09 00, fax: +3 98 19 00 32, e-mail: info@languageint.com.au, www.languageint.com.au

Austria: **OBV Handelsgesellschaft mbH** (Wien), Frankgasse 4.
Tel.: +43 1 401 36 36, fax: +43 1 401 36 60, e-mail: office@buchservice.at, service@oebv.at, www.oebv.at

Belgium: **La Librairie Europeenne — The European Bookshop** (Brussels), 1 rue de l'Orme.
Tel.: +32 2 734 02 81, fax: +32 2 735 08 60, ad@libeurop.eu, www.libeurop.be

Brazil: **SBS — Special Book Services** (Sao Paulo).
Tel.: +55 11 22 38 44 77, fax: +55 11 22 56 71 51, sbs@sbs.com.br, www.sbs.com.br

Croatia, Bosnia: **Official distributor Sputnik d.o.o.** (Zagreb), Krajiška 27/1.kat.
Tel./fax: +385 1 370 29 62, +385 1 376 40 34, fax: + 358 1 370 12 65,
mobile: +358 91 971 44 94, e-mail: info@sputnik-jezici.hr, www.sputnik-jezici.hr

Czech Republik: **MEGABOOKS CZ** (Praha), Třebohostická 2283/2, 100 00 Praha 10 Strašnice.
Tel.: + 420 272 123 19 01 93, fax: +420 272 12 31 94,
e-mail: info@megabooks.cz, www.megabooks.cz
Styria, s.r.o. (Brno), Palackého 66. Tel./fax: +420 5 549 211 476,
mobile: + 420 777 259 968, e-mail:styria@styria.cz, www.styria.cz

Cyprus: **Agrotis Import-Export Agencies** (Nicosia).
Tel.: +357 22 31 477/2, fax: +357 22 31 42 83, agrotisr@cytanet.com.cy

Estonia: **AS Dialoog** (Tartu, Tallinn, Narva). Tel./fax: +372 7 30 40 94,
e-mail: info@dialoog.ee; www.dialoog.ee, www.exlibris.ee
Tallinn, Gonsiori 13 – 23, tel./fax: +372 662 08 88, e-mail: tallinn@dialoog.ee;
Tartu, Turu 9, tel.: +372 730 40 95, fax: + 372 730 40 94, e-mail: tartu@dialoog.ee;
Narva, Kreenholmi 3, tel.: +372 356 04 94, fax: + 372 359 10 40, e-mail: narva@dialoog.ee;

Finland: **Ruslania Books Corp.** (Helsinki), Bulevardi 7, FI-00100 Helsinki.
Tel.: +358 9 27 27 07 27, fax +358 9 27 27 07 20, e-mail: books@ruslania.com, www.ruslania.com

France: **SEDR** (Paris), Tel.: +33 1 45 43 51 76, fax: +33 1 45 43 51 23,
e-mail: info@sedr.fr, www.sedr.fr
Librairie du Globe (Paris), Boulevard Beaumarchais 67.
Tel. +33 1 42 77 36 36, fax: 33 1 42 77 31 41,
e-mail: info@librairieduglobe.com, www.librairieduglobe.com

Germany: **Official distributor Esterum** (Frankfurt am Main). Tel.: +49 69 40 35 46 40,
fax: +49 69 49 096 21, e-mail Lm@esterum.com, www.esterum.com
Kubon & Sagner GmbH (Munich), Heßstraße 39/41.
Tel.: +49 89 54 21 81 10, fax: +49 89 54 21 82 18,
e-mail: postmaster@kubon-sagner.de
Kubon & Sagner GmbH (Berlin), Friedrichstraße 200. Tel./fax: +49 89 54 21 82 18,
e-mail: Ivo.Ulrich@kubon-sagner.de, www.kubon-sagner.de
Buchhandlung "RUSSISCHE BÜCHER" (Berlin), Kantstrasse 84, 10627 Berlin, Friedrichstraße 176–179.
Tel.: +49 3 03 23 48 15, fax +49 33 20 98 03 80,
e-mail: knigi@gelikon.de, www.gelikon.de

Greece: **«Дом русской книги "Арбатъ"»** (Athens), El. Venizelou 219, Kallithea.
Tel./fax: +30 210 957 34 00, +30 210 957 34 80,
e-mail: arbat@arbat.gr, www.arbat.gr
«Арбат» (Athens), Ag. Konstantinu 21, Omonia.
Tel.: + 30 210 520 38 95, fax: + 30 210 520 38 95,
e-mail: info@arbatbooks.gr, www.arbatbooks.gr
Avrora (Saloniki), Halkeon 15. Tel.: +30 2310 23 39 51,
e-mail info@avrora.gr, www.avrora.gr

Ireland: **Belobog** (Nenagh). Tel.: +3053 87 2 96 93 27, e-mail: info@russianbooks.ie,
www.russianbooks.ie

Holland:	**Boekhandel Pegasus** (Amsterdam), Singel 36. Tel.: +31 20 623 11 38, fax: +31 20 620 34 78, e-mail: pegasus@pegasusboek.nl, slavistiek@pegasusboek.nl, www.pegasusboek.nl
Italy:	**il Punto Editoriale s.a.s.** (Roma), V. Cordonata 4. Tel./fax: + 39 66 79 58 05, e-mail: ilpuntoeditorialeroma@tin.it, www.libreriarussailpuntoroma.com **Kniga di Doudar Lioubov** (Milan). Tel.: +39 02 90 96 83 63, +39 338 825 77 17, kniga.m@tiscali.it **Globo Libri** (Genova), Via Piacenza 187 r. Tel./fax: +39 010 835 27 13, e-mail: info@globolibri.it, www.globolibri.it
Japan:	**Nauka Japan LLC** (Tokyo). Tel.: +81 3 32 19 01 55, fax: +81 3 32 19 01 58, e-mail: murakami@naukajapan.jp, www.naukajapan.jp **NISSO** (Tokyo), C/O OOMIYA, DAI 2 BIRU 6 F 4-1-7, HONGO, BUNKYO-KU. Tel: + 81 3 38 11 64 81, e-mail: matsuki@nisso.net, www.nisso.net
Latvia:	**SIA JANUS** (Riga), Jēzusbaznīcas iela 7/9, veikals (магазин) "Gora". Tel.: +371 6 7 20 46 33, +371 6 7 22 17 76 +371 6 7 22 17 78, e-mail: info@janus.lv, www.janus.lv
Poland:	**MPX Jacek Pasiewicz** (Warszawa), ul.Garibaldiego 4 lok.16A. Tel.: +48 22 813 46 14, mobile: +48 0 600 00 84 66, e-mail: jacek@knigi.pl, www.knigi.pl **Księgarnia Rosyjska BOOKER** (Warszawa), ul. Ptasia 4. Tel.: +48 22 613 31 87, fax: +48 22 826 17 36, mobile: 504 799 798, www.ksiegarniarosyjska.pl **«Eurasian Global Network»** (Lodz), ul. Piotrkowska 6/9. Tel.: +48 663 339 784, fax: +48 42 663 76 92, e-mail: kontakt@ksiazkizrosji.pl, http://ksiazkizrosji.pl
Serbia:	**DATA STATUS** (New Belgrade), M. Milankovića 1/45, Novi. Tel.: +381 11 301 78 32, fax: +381 11 301 78 35, e-mail: info@datastatus.rs, www.datastatus.rs **Bakniga** (Belgrade). Tel. +381 658 23 29 04, +381 11 264 21 78
Slovakia:	**MEGABOOKS SK** (Bratislava), Laurinska 9. Tel.: +421 (2) 69 30 78 16, e-mail: info@megabooks.sk, bookshop@megabooks.sk, www.megabooks.sk
Slovenia:	**Exclusive distributor: Ruski Ekspres d.o.o.** (Ljubljana), Proletarska c. 4. Tel.: +386 1 546 54 56, fax: +386 1 546 54 57, mobile: +386 31 662 073, e-mail: info@ruski-ekspres.com, www.ruski-ekspres.com
Spain:	**Alibri Llibreria** (Barcelona), Balmes 26. Tel.: +34 933 17 05 78, fax: +34 934 12 27 02, e-mail: info@alibri.es, www.books-world.com **Dismar Libros** (Barcelona), Ronda de Sant Pau, 25. Tel.: + 34 933 29 65 47, fax: +34 933 29 89 52, e-mail: dismar@eresmas.net, dismar@dismarlibros.com, www.dismarlibros.com **Arcobaleno 2000 SI** (Madrid), Santiago Massarnau, 4. Tel.: +34 91 407 98 45, fax: +34 91 407 56 82, e-mail: info@arcobaleno.es, www.arcobaleno.es **Skazka** (Valencia), c. Julio Antonio, 19. Tel.: +34 676 40 62 61, fax: + 34 963 41 92 46, e-mail: skazkaspain@yandex.ru, www.skazkaspain.com
Switzerland:	**PinkRus GmbH** (Zurich), Spiegelgasse 18. Tel.: +41 4 262 22 66, fax: +41 4 262 24 34, e-mail: books@pinkrus.ch, www.pinkrus.ch **Dom Knigi** (Geneve), Rue du Midi 5. Tel.: +41 22 733 95 12, fax: +41 22 740 15 30, e-mail info@domknigi.ch, www.domknigi.ch
Turkey:	**Yab-Yay** (Istanbul), Barbaros Bulvarı No: 73 Konrat Otel Karşısı Kat: 3 Beşiktaş, İstanbul, 34353, Beşiktaş. Tel.: +90 212 258 39 13, fax: +90 212 259 88 63, e-mail: yabyay@isbank.net.tr, info@yabyay.com, www.yabyay.com
United Kingdom:	**European Schoolbooks Limited** (Cheltenham), The Runnings, Cheltenham GL51 9PQ. Tel.: + 44 1242 22 42 52, fax: + 44 1242 22 41 37 **European Schoolbooks Limited** (London), 5 Warwick Street, London W1B 5LU. Tel.: +44 20 77 34 52 59, fax: +44 20 72 87 17 20, e-mail: whouse2@esb.co.uk, www.eurobooks.co.uk **Grant & Cutler Ltd** (London), 55–57 Great Marlborough Street, London W1F 7AY. Tel.: +44 020 70 20, 77 34 20 12, fax: +44 020 77 34 92 72, e-mail: enquiries@grantandcutler.com, www.grantandcutler.com
USA, Canada:	**Exclusive distributor: Russia Online** (Kensington md), Kensington Pkwy, Ste A. 10335 Kensington, MD 20895-3359. Tel.: +1 301 933 06 07, fax: +1 240 363 05 98, e-mail: books@russia-on-line.com, www.russia-on-line.com